CW00687885

Pompei
la fotografia

A Francesco Faeta, magico nel sentimento
M.M.

POMPEI
LA FOTOGRAFIA

di
Marina Miraglia *e* **Massimo Osanna**

Electaphoto

Saggi

Album

Apparati

Anonimo, *Casa del Sacerdote Amandus (I, 7, 7), Calco di vittima*, 1952

"Raccogliere, riprodurre, diffondere": fotografare Pompei

Massimo Osanna

Lavorando alla scelta di "belle" fotografie di Pompei nell'Archivio della Soprintendenza Speciale per Pompei, Ercolano e Stabia, contenente decine di migliaia di immagini[1], mi sono sentito in qualche modo sopraffatto. Come per Oran Pamuk nell'immenso Archivio stambuliota del fotografo Ara Güler, alla ricerca di foto per il suo immaginifico Museo dell'Innocenza, mi sono trovato di fronte a un "immenso, impareggiabile archivio, autentica mappa della memoria della città"[2], tra la fine del XIX e il XX secolo.

Scegliere, selezionare fotografie da dare alle stampe, che raccontino la seconda vita di un luogo come Pompei, città dalle *"doubles vies"* [3], secolare crocevia di scienza e immaginazione evocativa, è impresa oltre modo difficile. Non si può fare a meno di imporre il proprio punto di vista emozionale, e io come lo stesso Pamuk a Istanbul "non potevo fare a meno di chiedermi se ciò che appariva bello a me sarebbe apparso bello anche ad altri". Ci si smarrisce facilmente cercando di mettere a fuoco quello che si vuole mostrare, selezionando. Si rimane incerti nelle stesse intenzioni da porre alla base della scelta, o a quali di queste dare una importanza preponderante: quelle pedagogiche, didattiche, documentarie, proprie di un approccio storico teso a fornire informazioni sul luogo all'epoca in cui le foto sono state scattate; oppure muovere piuttosto da istanze artistiche, poetiche, portando l'attenzione sulla qualità formale delle immagini, su scatti che evochino una sorta di nostalgia di un mondo perduto? Del resto molto della seconda vita di Pompei può considerarsi perduto quanto la vita travolta dall'eruzione del 79 d.C. Quanti gli oggetti, i luoghi, i protagonisti ormai scomparsi!

Nella scelta, alla fine, sono stato motivato dalla necessità di restituire al lettore quello che il visitatore, anche il meno distratto, riesce difficilmente a comprendere a Pompei, ossia come i luoghi, gli spazi nei quali si trova immerso siano stati profondamente alterati nel tempo. Come l'uomo e il tempo – nel corso di una lunga vicenda che si apre con la scoperta della città nel 1748 – abbiano trasformato profondamente il paesaggio agrario di questo comprensorio strappato alla storia nel 79 d.C. dalla furia della natura.

Il luogo, ferace campagna coltivata e punteggiata di casolari e masserie, è stato progressivamente trasformato innanzitutto dagli scavi, che hanno asportato coltivazioni, casolari, metri di lapillo e di ceneri vulcaniche, alterando profondamente topografia e paesaggio dell'area. Testimonianze letterarie e pittoriche restituiscono una natura rigogliosa che si distende là dove sarebbero emerse le case dei pompeiani: campi coltivati, alberi, vigneti. F. Latapie nel 1776 descrivendo gli scavi di Pompei individua la causa della distruzione delle parti elevate degli edifici ne "la cultivation du terrain qui les couvroit"[4]; J.P. Hackert, nella *Veduta del Teatro di Pompei* del 1793, dipinge i terreni non scavati della Regio VIII con festoni di viti maritate a pioppi e casolari[5].

La trasformazione del paesaggio rurale avviene da un lato asportando, dall'altro accumulando, come accaduto con i "cumuli borbonici" che in più punti, prima dentro, ancora oggi intorno e a ridosso della antica cortina muraria hanno creato colline artificiali, ora ricoperte dal verde di una rigogliosa vegetazione. "La parte di Pompei scoperta dal 1748 al 1860 occupava un'area di metri quadrati 199526, divisa in più gruppi da monticelli di terre, che non erano mai stati rimossi", così comincia la relazione di Giuseppe Fiorelli al Ministro dell'Istruzione Pubblica, edita nel 1873[6]. Se nei primi anni dell'Unità d'Italia un'attenzione particolare da parte del nuovo Soprintendente viene portata proprio a rimuovere tali cumuli dentro gli scavi ("da quell'epoca in poi i lavori vennero indiretti [sic] a togliere i terreni lasciati fra gli edifizi anteriormente scoperti, onde rannodarli tra loro, ed ebbero cominciamento dal cumulo che vedevasi d'incontro alle terme stabiane, sotto il quale apparve la casa di Cornelio Rufo")[7], e ora non se ne conserva alcuna traccia, all'esterno, in più punti dell'area recintata del parco archeologico pompeiano si possono osservare queste colline che hanno alterato profondamente il paesaggio, inserendosi in una sistemazione paesistica oggetto di un allestimento recente che ha creato un percorso *extra moenia* che attraversa un ambiente naturale di grande bellezza scandito da pini centenari, platani, lecci, siepi e orti[8].

Una ulteriore, radicale trasformazione è stata causata dalla rimozione degli ingenti crolli dei secondi piani e della parte superiore degli edifici che riempivano di detriti strade, spazi un tempo aperti di case e monumenti pubblici. Si pensi all'instancabile attività di Amedeo Maiuri che, nel dopoguerra, scava e ricostruisce contemporaneamente: "Case e botteghe si affacciano con le porte sfondate, con le finestre divelte, con gli intonaci laceri e caduti, ma fuori e dentro è ancora il segno d'una vita interrotta e che potrebbe riprendere. E siamo già dietro a rimettere arcotravi e coperture, a difendere quelle povere mura colorate, a proteggere il medaglioncino da cui sorride il volto di un adolescente o il pannello con un arioso paesaggio di marina, a coprire con stuoie e tende iscrizioni e insegne, a mano a mano che il lapillo spalato o rimosso con la cucchiaia o col cavo della mano, lascia vedere quel che aveva sepolto">[9].

L'ultima trasformazione è data così dai successivi, diversi nel tempo per concezione e metodi usati, restauri, ricostruzioni e coperture poste a protezione delle decorazioni degli edifici sventrati dall'eruzione.

Chi visita Pompei oggi, se non è portato a ripercorrere vicende e azioni che hanno alterato il luogo nei secoli – manca ancora un'adeguata presentazione *in situ* della storia delle scoperte, come manca del resto un adeguato centro di accoglienza dei visitatori –, tanto meno riesce a immaginare come questo luogo, popolato oggi, sette giorni su sette, dalla mattina al tramonto, da migliaia di visitatori che si accalcano lungo strade, calpestano basolati, mosaici, cocciopesti, battuti e prati>[10], abbia conosciuto nel corso degli oltre due secoli e mezzo, a partire dalla scoperta del 1748, vicende umane e protagonisti diversi. Oggi la maggior parte di presenze è data da turisti frettolosi e distratti, dai crocieristi "mordi e fuggi" ai gruppi dei viaggi organizzati, ieri, soprattutto, da gente all'opera per scoprire, rimuovere, restaurare. Per farsi una vaga idea si pensi ai "settecento" operai che il letterato e saggista svizzero Marc Monnier vede all'opera (esagerando certamente sul numero) nel corso della sua visita del 1863>[11], o alla testimonianza contemporanea di Heinrich Brunn, dell'Instituto di Corrispondenza Archeologica, che scrive: "Gli scavi di Pompei, non mai interrotti, negli ultimi due anni sono stati promossi con zelo ravvivato e con forze e mezzi notabilmente accresciuti; né di conseguenza mancarono risultati felicissimi ... Quattro o cinquecento tra uomini e donne stanno occupati a levar quel velo, col quale le ceneri del Vesuvio hanno coperto l'infelice città" >[12]. Vite di operai, soprastanti, guardiani, studiosi, guide e viaggiatori che hanno popolato la città dalla sua scoperta e che diventano una squadra numerosissima con la ripresa degli scavi seguita all'Unità d'Italia e all'arrivo di Giuseppe Fiorelli>[13].

Tornando alle nostre foto e alla necessaria selezione, la domanda è: scegliere foto che documentano, recuperano frammenti di passato e della memoria del luogo senza altra pretesa "estetica" o foto che evocano, emozionano, restituendo degli spazi e del tempo perduto una nuova immagine, filtrata da una lente poetica, che crea un'estetica dei luoghi?

Il problema di fronte al quale ci si pone non è certo nuovo, ma nasce quando la fotografia diventa documento: del resto già nella pratica "documentaria" che si afferma prepotentemente, con conseguente riflessione teorica, nella fotografia all'inizio degli anni trenta del secolo scorso>[14], erano venuti alla ribalta come valori estetici proprio l'approccio impersonale, sistematico, seriale. La fotografia doveva essere realizzata con assoluta semplicità formale, cercando di ridurre al minimo le emozioni a favore di un interesse archivistico e "archeologico".

Per questo "nuovo" concetto della fotografia che si afferma nella prima metà del XX secolo, il quale riconosce nella fotografia una sua estetica autonoma proprio in quanto "documento" storico e seriale, emblematiche sono le affermazioni dell'economista e fotografo statunitense Roy E. Stryker, cui si deve la nascita del movimento di *fotografia documentaria* della *Farm Security Administration*: i fotografi devono essere "storici del presente", le cui immagini "oltre al loro valore immediato, hanno una vitalità che aumenta con il tempo". "Oggi possono essere buone, ma tra cinquant'anni saranno uniche e insostituibili...", afferma apoditticamente il fotografo in quegli anni>[15]. Come per l'altro fotografo statunitense John Vachon, sempre all'interno della FSA, l'impresa documentaria americana degli anni trenta si configura come "sforzo consapevole per conservare in un medium permanente i fatti e l'apparenza del secolo..." creando così un "documento monumentale, paragonabile alle tombe dei faraoni egizi o ai templi greci ma infinitamente più preciso">[16]. Una fotografia dunque che consegna l'istante alla storia, producendo immagini e memoria destinate a perpetuarsi come i grandi monumenti del passato, opere gigantesche concepite proprio per sfidare il tempo.

Oggetto di critiche e svalutazioni nei decenni successivi, la pratica documentaria a partire dagli anni sessanta sarà riscoperta e nuovamente apprezzata da fotografi e conservatori di Musei, che vengono a recuperare così un'"estetica documentaria", portando ancora una volta una rinnovata attenzione sul *documento come forma*, sulla implicita "lezione di distacco formale, apparente neutralità e lavoro in serie">[17].

La lezione che deriva dalla vicenda dell'impresa documentaria, a partire dalla sua "scoperta" negli incipienti anni trenta attraverso il XX secolo, rende in qualche modo, a questo punto,

Anonimo, *Fullonica Stephani (I, 6, 7), Viridario e portico sud, dopo i restauri*, 1919

meno complessa la scelta, pur se non le sottrae l'arbitrarietà di un approccio soggettivo nella selezione. "Ciò che appare bello a me potrà apparire bello anche ad altri?".

Le foto qui presentate vogliono così in qualche modo restituire, "documentare" (e proprio per questo, al di là del valore estetico, del prodotto realizzato dai vari fotografi in gran parte anonimi, apparire "belle" ed "evocative") momenti della straordinaria vicenda della "doppia vita" di Pompei nel corso del XX secolo, fermare istanti della esperienza secolare di un luogo che della sua unicità ha nutrito e ispirato artisti, letterati, intellettuali, storici, ricercatori, ma anche "gente comune", che ha visitato, ammirato, operato e contribuito a trasformare il luogo[18]. Insieme a Roy E. Stryker, si invita in questo volume a considerare gli anonimi fotografi "storici del presente", che lavorando per documentare e archiviare hanno lasciato nell'Archivio fotografico della Soprintendenza pompeiana immagini straordinarie di Pompei, alcune di grande impatto anche formale (si pensi alla foto del 1919 della Fullonica di Stephanus, I, 6, 7, caratterizzata da un forte contrasto luce/ombra, e dalle parallele ombre oblique sullo sfondo, mentre sulle aperture si stagliano figure plasticamente atteggiate, la prima di profilo, la seconda frontale); altre, documenti che al di là del "loro valore immediato", hanno acquisito una importanza assai accresciuta nel tempo, se si pensa a come certi luoghi non esistano più in quel determinato stato se non nella memoria conservata da queste fotografie (si pensi alla casa di Paquio Proculo, Regio I, 7, 1, di una foto del 1923, che la ritrae, con sorvegliante e operai intenti al lavoro o in posa, mentre affiorano le colonne del peristilio, e con le tegole del tetto ancora per terra in stato di crollo, prima della ricostruzione e messa in opera delle nuove coperture).

Se per buona parte dell'Ottocento è soprattutto l'opera di letterati e scrittori a restituire un'"immagine" di Pompei[19], dal tardo XIX e per tutto il XX secolo più che le guide parlano queste foto, trasmettendo con immediatezza attività, spazi, momenti che per quanto "ricreati" dal medium fotografico, posseggono una forza che le descrizioni affidate allo scritto spesso non hanno.

Anonimo, *Casa di Paquio Proculo (I, 7, 1).*
Lo scavo nell'angolo SE del peristilio riporta alla luce le tegole del tetto, 1923

Certo per l'epoca di Giuseppe Fiorelli, il Soprintendente dell'Unità d'Italia, le poche foto disponibili rendono insostituibili testi come il già citato "Pompei e i Pompeiani", di Marc Monnier, il quale restituisce con freschezza un'immagine di Pompei che non è più, che è senza dubbio assai diversa da quella che la nostra generazione coglie. Del resto ogni generazione ha trasformato un po' di Pompei e della sua immagine. E se parliamo di trasformazioni, pensiamo non solo a quanto è cambiato il sito all'interno delle sue mura o nell'immediato suburbio popolato di ville e necropoli, ma alle drammatiche trasformazioni del territorio che circonda la città antica. Se l'archeologia ci restituisce le drammatiche conseguenze sul paesaggio antico intervenute con l'eruzione (che seppellisce città e allontana il mare), le foto e le guide redatte tra XVIII e XX secolo registrano quanto sia cambiato il paesaggio contemporaneo e diventano preziosa memoria dei luoghi e delle loro drammatiche trasformazioni. Per Monnier arrivando in treno a Pompei si poteva ancora godere di uno spettacolo naturale straordinario, "guardare da lontano il Vesuvio o la marina, l'acqua chiara circondata dalla curva morbida dei promontori, la costa blu che si allontana e diventa verde, la costa verde che si avvicina e diventa blu...". Per noi oggi si ha solo il tempo di comprendere la scandalosa speculazione e l'abusivismo edilizio che ha distrutto irrimediabilmente una delle coste più belle del Mediterraneo. Una drammatica trasformazione che documentano quelle foto che si allontanano dalla città antica per abbracciare il paesaggio fino ancora agli anni cinquanta (si veda ad esempio il paesaggio sullo sfondo della foto del 1911 che ritrae lo scavo in corso della Regio I, insula 7).

Tornando all'Ottocento e ai primi passi della fotografia pompeiana, mirabilmente ripercorsi dal saggio di Marina Miraglia in questo volume, documenti d'archivio, valorizzati di recente da Grete Stefani[20], fanno comprendere come Pompei sia stata antesignana nell'uso della fotografia come "pratica documentaria", almeno nelle intenzioni metodologiche, come del resto antesignana lo è stata per molteplici aspetti della scienza archeologica, dei suoi metodi e delle sue tecniche, e delle connesse attività di formazione e ricerca[21].

L'importanza del medium fotografico per "salvare" dalla distruzione dello scavo e del tempo oggetti e manufatti archeologici viene qui avvertita assai precocemente, se si pensa che ancor prima dell'Unità d'Italia, nel 1853, l'architetto direttore degli Scavi, Gaetano Genovese, sollecitava il Soprintendente per l'acquisto di una macchina fotografica. Richiesta che il 2 gennaio 1854 viene puntualmente indirizzata alla Casa Reale da Domenico Spinelli Principe di Sangiorgio. La nota motivava significativamente l'acquisto con la necessità – avvertita finalmente come imprescindibile – di non lasciar svanire documenti che lo scavo irrimediabilmente alterava rispetto al loro stato di conservazione che il lapillo aveva assicurato: "coi sistemi adottati a strati orizzontali, escono alla luce oggetti interessantissimi, che di poi nel progredire la escavazione si perdono e si distruggono, per la caduca e fragile loro materia, che lo scavo istesso si presenta in vari modi e forme diverse che di poi sfuggono o si dimenticano".

La fotografia viene intesa come un più immediato ed efficace sistema di documentazione del procedere dello scavo e come mezzo per restituire contesto del rinvenimento e suo aspetto originario, prima che il prosieguo delle ricerche lo alteri per sempre. Allo spirito positivista dei ricercatori della metà del XIX secolo appare subito la potenza straordinaria del nuovo mezzo per accompagnare lo scavo con una documentazione adeguata, che il disegno non riesce a restituire con tutta l'esattezza e la rapidità necessarie. Si coglie della fotografia la capacità di registrare, serbare memoria del momento della ricerca e restituire agli studiosi italiani e stranieri le novità che emergono dagli scavi, essendo "gli archeologhi e gli esteri ... desiderosissimi di quanto di nuovo, d'interessante in Pompei, ad ogni istante, dalle terre si discopre". Il Genovese invoca l'arrivo da Parigi di una macchina fotografica, in modo da "il tutto *raccogliere, riprodurre, diffondere*, secondo i bisogni e le prescrizioni che possono all'uopo dettarsi". Nella conseguente richiesta del Principe di Sangiorgio ci sono così tutte le motivazioni che permettono di apprezzare la nuova attenzione metodologica al contesto di rinvenimento, ma non solo: con la creazione di "uno stabilimento fotografico a Pompei" i Reali sarebbero stati gratificati dalla realizzazione di vedute da offrire "al Re, alla Biblioteca reale, ai reali principi, a persone reali estere, all'Accademia Ercolanese e di Belle Arti". La fotografia, come per i pionieri della pratica documentaria dell'America degli anni trenta, era già intesa nella Pompei della metà dell'Ottocento come mezzo destinato a serbare memoria oggettiva di "quelle anticaglie che successivamente van soggette a deperimento e distruzione con l'elasso del tempo vorace e per la forza dell'intemperie cui sono esposte". Un Archivio da realizzare nel presente, dunque, che sarebbe servito per il futuro per restituire alle generazioni a venire "belle memorie, all'opposto dei tempi andati, nei quali tutte quelle che si avrebbero potuto raccogliere si sono perdute".

La realizzazione dello "stabilimento fotografico" non andò a buon fine, nonostante la macchina fotografica, perché i costi della realizzazione documentaria erano troppo elevati e andavano a discapito del prosieguo stesso degli scavi. Così poco o nulla è documentato fotograficamente della straordinaria stagione di ricerche intrapresa con nuovi metodi e una fino ad allora sconosciuta sistematicità da Giuseppe Fiorelli. Bisogna accontentarsi ancora una volta della sola descrizione scritta, quella dei "Giornali degli scavi", accompagnata da disegni ma non da fotografie[22]. Ma se l'intrapresa pubblica non ebbe successo, sono i fotografi privati, da Sommer a Rive ad Amodio, ad averci lasciato una ricca documentazione, a cominciare dai calchi che appena realizzati ebbero immediatamente un successo folgorante, suscitando la curiosità del pubblico internazionale, come stampa e immagini attestano. Tra le innumerevoli testimonianze scelgo quella poco nota del diario della ingenua ed entusiasta fanciulla milanese Carolina Ricci (nipote di Massimo D'Azeglio e pronipote

Anonimo, *Casa di Paquio Proculo (I, 7, 1).*
L'intero fronte della casa lungo Via dell'Abbondanza, visto da NO, 1911

Anonimo, *Fullonica Stephani (I, 6, 7).*
Angolo SO dell'atrio con operai intenti al restauro delle decorazioni pittoriche, 1913

di Alessandro Manzoni) che il 22 ottobre 1882 scrive della sua escursione a Pompei: "mi è piaciuto molto dove sono conservati nelle vetrine, gli scheletri dei cavalli, dei cani, le teste da morto con tutti i denti bianchi e conservatissimi, i pezzi di scialli, guanti ecc. carbonizzati, le donne, gli uomini, tutti in atteggiamento di disperazione; ce n'è uno che si tiene il fazzoletto alla bocca, un altro che ha le mani tutte rampinate per la rabbia come se volesse graffiare!"[23].

La eccezionale scoperta non poteva non essere immediatamente registrata dalla fotografia, così se purtroppo mancano foto del momento stesso delle varie scoperte succedutesi a partire dal 1863, non difettano però foto dei calchi posizionati su tavoli lignei, per terra o nello stesso Museo Pompeiano, dove furono trasportati dall'originaria sede individuata nell'*Insula Occidentalis*, lungo la via Consolare, condivisa con la Scuola di Archeologia[24]. Il rimpianto per la mancanza di foto che illustrano le attività di scavo e le scoperte di quegli anni non può che aumentare se si cerca di compensare la lacuna con i documenti scritti, finanche quelli di archivio. L'eccezionalità della scoperta e il richiamo che ebbe immediatamente e avrebbe continuato ad avere nel mondo intero (se si pensa solo al fatto che la maggior parte dei visitatori ancora oggi a Pompei chiede di vedere i calchi delle vittime e di lasciarsi emozionare dalla contemplazione delle immagini vivide che i corpi restituiscono della tragedia)[25] erano ben presenti allo stesso Fiorelli: sin dal momento della creazione del primo calco, egli si rivela infatti consapevole del loro impatto evocativo, tanto da dare immediatamente la notizia al *Giornale di Napoli* piuttosto che inviare una relazione per il Governo al Soprintendente e al Ministero[26]. Di tale vicenda si ha testimonianza nei documenti di archivio che vieppiù ci fanno lamentare la mancanza di un'adeguata documentazione fotografica delle scoperte del febbraio del 1863[27]. Il 23 febbraio di quell'anno Rezasco scrive per il Ministro al Soprintendente Principe di San Giorgio: "il sottoscritto ha letto con meravigliosa compiacenza nel Giornale di Napoli il trovato dell'egregio Cav. Fiorelli, per quale si riproducono agli occhi nostri le sembianze le vesti ed anche gli affetti e gli estremi dolori dei Pompeiani, e prega la S.V. di rallegrarsene da parte del Governo con quel valentuomo. Solo duole forse che queste cose stupende che onorano la scienza, l'Italia, e accrescono di tanto l'onore dell'uomo preclarissimo, non sieno partecipate al Governo direttamente e subito, non costringendolo alla necessità comune di averne notizia dalle Gazzette". La risposta del Soprintendente non tarda ad arrivare e il successivo 6 marzo scrive al Ministro: "Al pari di V.S.I. questo Consiglio di Direzione non conobbe, se non dalle gazzette, la peregrina ultima scoperta, delle impronte umane rinvenute a Pompei... Ad onta che i componenti del Consiglio avessero individualmente ammirata e studiata la peregrina scoperta... nessuno credette dover togliere a questo egregio uomo la iniziativa di una tale relazione. Fu pregato pertanto il Cav. Fiorelli di affrettarsi a darcene notizia, ma le molte e svariate occupazioni che lo circondano, non gli hanno finora conceduto di corrispondere alle insistenze del Consiglio..."[28]. Il commento di Fiorelli, relativamente all'accaduto, è in una missiva del 19 marzo al Ministro, in occasione del "Rinvenimento di una lucerna d'oro presso la casina del Minervini" di cui dà immediatamente notizia "onde non accada più ciò che con grave sua dispiacenza ha saputo di essersi avverato in occasione de' corpi umani impressi nelle ceneri".

Come nel caso dei calchi, la documentazione fotografica anche dopo il Fiorelli, fino alla fine dell'Ottocento viene affidata a fotografi esterni alla pubblica amministrazione chiamati di volta in volta a documentare ricerche per le relazioni da inviare al Ministero della Pubblica Istruzione[29]. Bisogna attendere l'inizio del nuovo secolo, quando alla direzione degli scavi si insedia Antonio Sogliano[30], per la creazione di quel laboratorio fotografico che a Pompei si vagheggiava già nei resoconti citati di un cinquantennio prima. A lui si deve anche, cosa assai meritoria, l'assunzione di personale capace di realizzare la documentazione fotografica. Adesso cominciano a realizzarsi in maniera sistematica scatti di case e scavi in corso gettando le basi di quel laboratorio che, grazie alla puntuale catalogazione fatta da Matteo Della Corte del materiale prodotto tra il 1905 e il 1932, è alla base dell'Archivio odierno[31]. Non è un caso che il Sogliano sia tra l'altro l'autore di una bella guida pompeiana, scritta "per ordine di S.E. il Ministro della Pubblica Istruzione, che segue quella non più attuale di Fiorelli: si tratta di una guida che l'autore scrive sostituendo alla "descrizione particolareggiata dei ruderi... la loro ricostruzione ideale, spronando così la immaginativa del visitatore, che raggirandosi per le deserte vie della morta città desidera di apprendere più con la integrata rappresentazione del monumento che con l'analisi del suo stato attuale"[32]. La nuova guida sarà così accompagnata da numerose foto che, aumentando e arricchendosi tra la prima edizione del 1899 e la terza del 1922, danno al visitatore un'immagine dello stato dei luoghi, dei manufatti, e anche degli scavi in corso.

Le foto che si susseguono tra gli anni del Sogliano e quelli del Maiuri (che resterà in carica fino al 1961) restituiscono vividamente gli edifici come apparivano al momento del restauro, i lavori effettuati per ripristinare le parti crollate delle strutture, gli operai al lavoro, gli strumenti usati allora, dalle ceste di vimini ai carri trainati da quadrupedi. Restituiscono altresì quella convivenza tra la vita quotidiana di chi quella contrada ancora abitava e gli scavi in corso, che si svolgevano sotto

Anonimo, *Villa dei Misteri*, 1958

Anonimo, *Casa di Giulio Polibio (IX, 13, 1-3).*
Gli scheletri nell'ambiente HH al momento dello scavo, 1975

gli occhi curiosi di adulti e bambini: si pensi agli scavi di Via dell'Abbondanza intrapresi da Domenico Spinazzola, che svelano facciate di edifici, affreschi di divinità, insegne di botteghe, iscrizioni elettorali, mentre al di sopra continua la vita di quanti abitavano allora la Casina dell'Aquila. Proprio quest'ultima che ancora si erge sui terreni non scavati della Regio III, oggi è stata ampiamente trasformata da restauri non sempre attenti, in maniera da renderla non più riconoscibile se la si confronta con l'edificio rurale che fa da sfondo alle scoperte di Via dell'Abbondanza. Edifici trasformati per essere adibiti ad altre funzioni (la Casina prima in sede di esposizioni temporanee, poi in ristorante mai aperto), edifici trasformati da rinnovati abusi edilizi su cui si è chiuso gli occhi troppo a lungo, si pensi alla casa di Sabetta vedova Gargiulo ("...qualcuno può pensare, Sabetta, che ... il dramma dei Misteri si sia annidato, occulto e segreto, nella tua casa di villica e di custode fedele della villa di un tempo"), proprietaria del fondo ove fu scoperta la Villa dei Misteri, immortalata in un indimenticabile scritto del 1937 di Amedeo Maiuri[33], che nelle foto degli scavi degli anni trenta e nei decenni successivi ancora si riconosce come modesto edificio rurale che nulla impatta con il paesaggio di rovine che lo circonda, oggi dolorosa testimonianza di uno scempio posto a dominare uno dei complessi più belli e meglio conservati dell'Italia antica.

Nell'Archivio pompeiano il numero delle fotografie con A. Maiuri continua a crescere negli anni trenta e poi nel dopoguerra, quando si comincia a "documentare" in maniera sempre più sistematica le attività in corso e gli edifici restaurati. L'epoca della straordinaria attività del Soprintendente Amedeo Maiuri, che Ulrich von Wilamowitz-Moellendorff, in una lettera in latino indirizzata allo stesso, definisce nel 1927 "un secondo Fiorelli" ("Praesagimus olim te appellatum iri alterum Fiorelli mortuae urbis sospitatorem")[34], sarà, a differenza dell'epoca di quest'ultimo, ampiamente documentata dal medium fotografico. Maiuri che instancabilmente scava e restaura, creando una estetica del restauro e soprattutto una estetica del quotidiano, riallestendo interni con materiali originali, persino gli scheletri, ridisposti la dove si pensava fossero collocati al momento della catastrofe, documenta i suoi interventi puntualmente con la fotografia. E tutto questo, dagli scavi ai restauri agli allestimenti, ormai quasi tutti rimossi nel corso degli anni, è ben attestato dai documenti fotografici dell'Archivio pompeiano.

1> 20030 lastre in pellicola, 9966 lastre su vetro, 34481 diapositive, 8840 diacolor.

2> O. Pamuk, *L'innocenza degli oggetti. Il Museo dell'Innocenza, Istanbul,* tr. it., Torino 2012, p. 86.

3> L'espressione si deve a B. Robert-Boissier, *Pompéi. Les doubles vies de la cité du Vésuve,* Paris 2011.

4> F. de Paule Latapie, *Description des fouilles de Pompei,* in "Rend. Acc. Nap. Archaeol. e Belle Arti", XXVIII, 1953, p. 233: "Les paysans en fesant des fosses pour planter leurs vignes ont détruit avec la bêche et quelquefois à la sappe tout ce qu'ils ont trové de bâtiments qui faisaient résistance...".

5> A. Ciarallo, *Scienziati a Pompei tra Settecento e Ottocento* (Studi della Soprintendenza archeologica di Pompei), Roma 2006, p. 17 sgg.

6> G. Fiorelli, *Gli scavi di Pompei dal 1861 al 1872,* Napoli 1873, p. V.

7> *Ibid.,* p. VI.

8> A. Ciarallo, *Pompei verde,* in G. Aliotta, A. Ciarallo, C.R. Salerno, *Le piante e l'uomo in Campania,* Napoli 2009, pp. 75-76.

9> A. Maiuri, *Mestiere di archeologo,* Milano 1978, pp. 147-148.

10> Il numero dei visitatori è in perenne crescita: nel 2014 è salito quasi del 10 per cento rispetto all'anno precedente, raggiungendo quasi la soglia dei 2.700.000.

11> M. Monnier, *Pompei e i Pompeiani,* in "Le Tour du Monde", tr. it., a cura di L. Gallo, Venosa 2015, in part. pp. 33-38.

12> H. Brunn, in "Bullettino dell'Instituto", 1863-1868, pp. 86-88.

13> S. De Caro, P.G. Guzzo (a cura di), *A Giuseppe Fiorelli nel primo centenario della morte* (Atti del Convegno, Napoli, 19-20 marzo 1997), Napoli 1999.

14> O. Lugon, *Lo stile documentario in fotografia. Da August Sander a Walker Evans,* tr. it., Milano 2008.

15> R.E. Stryker, *Documentary Photography,* "The Complete Photographer", 21, 1942, 1364-74.

16> J. Vachon, *Standards of the Documentary File,* p. 1, cit. in O. Lugon, op. cit., p. 375.

17> *Ibid.,* p. 417.

18> E.M. Moormann, *Pompeii's Ashes. The reception of the cities buried by Vesuvius in Literature, Music and Drama,* Berlin 2015; M. Osanna, M.T. Caracciolo, L. Gallo (a cura di), *Pompei e l'Europa. 1748-1943,* Catalogo della Mostra, Milano 2015.

19> Con le dovute eccezioni: si veda ad esempio l'opera di Rive: E. de Carolis, *Robert Rive: Un album fotografico di Pompei,* in "Quaderni di Studi Pompeiani", VI, 2013. Del resto come ben sottolineato in questo volume da Marina Miraglia il legame tra la fotografia e Pompei rimanda al momento stesso della nascita della fotografia nel 1839, non diversamente da altri luoghi celebri toccati dal "Grand Tour", si pensi ad Atene: Ph. Kostantinou, *1839-1851: Oi protes photographikes marturies kai to xekinhma ths ellenikes photographies,* in *ATHNA 1839-1900. Photographikes marturies,* Mouseio Benakh, Athena 2004, pp. 31-71.

20> G. Stefani, *Pompei, lo Stato e la fotografia,* in *Pompei e l'Europa,* cit.

21> M. Barbanera, *L'archeologia degli italiani,* Roma 1998, pp. 12-34.

22> Raccolta ragionata della bibliografia di Fiorelli e indice delle serie del *Giornale degli scavi di Pompei* in L. García y García, *Nova Bibliotheca Pompeiana. 250 anni di bibliografia archeologica,* I, Roma 1998, pp. 493-503.

23> M. Muscariello (a cura di), *Napoli habillée. Scenari della Napoli aristocratica nelle lettere di Carolina Ricci (1882-1883),* Venosa 1997, p. 164.

24> E. Dwyer, *Pompeii's living statues,* Ann Arbor 2010.

25> I.D. Rowland, *From Pompeii. The Afterlife of a Roman Town,* London 2014, pp. 172-173.

26> E. Dwyer, *Pompeii's living statues,* Ann Arbor 2010, pp. 125-126.

27> H.B. Van der Poel, P. Poli Capri, *Pompei, Ercolano, Napoli e dintorni (lettere e documenti),* I Serie, Vol. II, 1996, p. 129.

28> *Ibid.,* pp. 134-135.

29> G. Stefani, art. cit.

30> A. Sogliano, *Dei lavori eseguiti in Pompei dal 1 aprile 1905 a tutto il marzo 1906. Relazione a S.E. il Ministro della Istruzione Pubblica,* Napoli 1906, p. 5.

31> M. Della Corte, *Catalogo sistematico descrittivo delle fotografie dei monumenti pompeiani esistenti nell'Archivio fotografico della R. Soprintendenza alle Antichità della Campania. Museo Nazionale – Napoli, Puntata I (anni 1905-1932),* Roma 1939.

32> A. Sogliano, *Guida di Pompei,* Milano, Antonio Vallardi Editore.

33> A. Maiuri, *L'ultima erede della villa dei Misteri,* in *Pompei ed Ercolano. Fra case e abitanti,* Firenze 1998, pp. 121-125.

34> *Pompei, Ercolano, Stabiae, Oplontis, LXXIX-MCMLXXIX,* Napoli 1984, p. 265.

Anonimo, *Scavi lungo Via dell'Abbondanza riportano alla luce il Thermopolium di Asellina (IX, 11, 3)*, 1910

Anonimo, *Via dell'Abbondanza. Textrina (IX, 12, 1-2) in corso di scavo*, 1911
Anonimo, *Casina dell'Aquila: scene di vita quotidiana.*
In primo piano iniziano a emergere dai lapilli i busti colossali dipinti
che decoravano la facciata dell'officina coactiliaria (IX, 7, 1) su Via dell'Abbondanza, 1911

Anonimo, *Via dell'Abbondanza, officina infectorum (IX, 7, 1.2). Lavori di ricollocazione in situ del balcone*, 1911
Anonimo, *Via dell'Abbondanza, officina coactiliaria (IX, 7, 1). Affreschi in facciata*, 1911

Anonimo, *Via dell'Abbondanza in corso di scavo*, 1912
Anonimo, *Via dell'Abbondanza (IX, 12, 6). Affresco con Priapo-Hermes itifallico*, 1912

Anonimo, *Via dell'Abbondanza*, 1912
Anonimo, *Casa del Sacello Iliaco (I, 6, 4). Operai al lavoro durante le prime fasi di scavo*, 1912-1913

Anonimo, *Casa del Criptoportico (I, 6, 2). Giardino. I tre scheletri appena scoperti*, 1914
Anonimo, *Casa dei Ceii (I, 6, 15). La parete di fondo del giardino durante lo scavo*, 1914

Anonimo, *Casa del Criptoportico (I, 6, 2). Scheletri e calchi rinvenuti nel giardino*, 1915
Anonimo, *Casa del Criptoportico (I, 6, 2). Veduta d'insieme del giardino con scheletri e calchi*, 1916

Anonimo, *Fullonica Stephani (I, 6, 7). Veduta parziale della cucina con vasellame in bronzo*
disposto sul focolare ed appeso alla parete, 1916

Anonimo, *Incrocio tra il vicolo di Tesmo e Via dell'Abbondanza.*
Operai durante una pausa di riposo, 1916

Anonimo, *Casa di Trebio Valente (III, 2, 1). Rinvenimento, nel peristilio di quattro teschi umani*, 1917
Anonimo, *Casa di Paquio Proculo (I, 7, 1). Scavo in corso nell'angolo NO del viridario*, 1923

Anonimo, *Casa del Menandro (I, 10, 4). Il peristilio durante lo scavo*, 1930
Anonimo, *Grande Palestra (II, 7). Scavi in corso. In basso a sinistra e a destra nella immagine, scheletri di vittime*, 1936-1937

Anonimo, *Villa dei Misteri*, 1937
Anonimo, *Grande Palestra (II, 7). Il muro orientale dopo i restauri delle porte*, 1937

Anonimo, *Villa dei Misteri,* 1949
Anonimo, *Praedia di Giulia Felice (II, 4, 3). Operai al lavoro,* 1952

Anonimo, *Necropoli fuori Porta Nocera. Calco di vittima*, 1956
Anonimo, *Casa di Giulio Polibio (IX, 13, 1-3) Alcuni degli scheletri rinvenuti nel triclinio*, 1975

Guido Rey, *Colloquio,*
platinotipia, 1898, Biella, Fondazione Sella, Collezione Sircana

La fotografia, Pompei e l'Antico. Fra documentazione, stile 'documentario' e tensioni estetiche

Marina Miraglia

Esiste un profondo legame storico, continuo pur se diverso nelle differenti età, nei rapporti che intercorrono fra Pompei, la sua documentazione grafica e fotografica, la sua fortuna culturale e le numerose valenze sentimentali ed estetiche che l'arte, tesa nello sforzo di far rivivere la storia bruscamente interrotta dell'antica città romana, ha, nel tempo, messo in scena. Una connessione la cui evoluzione e i cui destini – guardando, in particolare, alla storia della fotografia che costituisce qui la postazione privilegiata d'osservazione – poggiano su alcuni fenomeni di non lieve peso: il passaggio da una società decisamente ancora *ancien régime* all'affermarsi sempre più sentito delle istanze borghesi, allora favorite dall'Illuminismo e dalla Rivoluzione francese; il venir meno dell'artigianato e la nascita dell'era industriale di cui la fotografia, capace di sostituirsi alle tecniche rappresentative e manuali di un tempo, è apoditticamente figlia più che legittima; l'intreccio sotterraneo fra tendenze disomogenee della storia dell'arte come il Neoclassicismo, il Romanticismo e il Positivismo; l'intersecarsi emblematico fra fotografia, Risorgimento e fortuna, non solo turistica, dei tesori del Museo di Napoli, delle suppellettili, dei mosaici, delle decorazioni, a fresco e a stucco e, ancora, delle testimonianze letterarie e civili di Pompei e di Ercolano che di giorno in giorno venivano dissepolte per trovare, appunto nel museo, il proprio ricetto più conseguente.

Al di là dell'interesse archeologico[>1], quanto mai vivo si faceva sentire, a metà circa dell'Ottocento[>2], un aspetto emotivo, legato all'immaginazione, sia singola che collettiva, rappresentato dal fatto che Pompei, a differenza di tutti i siti archeologici, andava restituendo non solo i grandi monumenti legati alla vita pubblica e religiosa del mondo romano, ma anche il tessuto connettivo di base del sociale e della politica, nonché la quotidianità di un vissuto privato, antropologicamente variegato, reso facilmente accessibile grazie al numero veramente eccezionale delle abitazioni e delle botteghe rinvenute intatte con i loro arredi e le loro suppellettili, distribuite lungo un reticolo stradale complesso e articolato; un'emotività che venne fortemente alimentata dai calchi di donne, uomini e animali realizzati a partire dagli anni sessanta, testimoni diretti e fisici della famosa eruzione vesuviana per la propria natura indicale.

Malgrado il Real Museo Borbonico di Napoli fosse stato fra le prime e più importanti iniziative museali dell'Europa, tuttavia non godeva di particolare e capillare visibilità per la sua scarsa documentazione grafica di tipo turistico, implicitamente legata alla circostanza di essere – almeno giuridicamente, ossia per la sua natura di bene allodiale[>3] – proprietà privata del sovrano e, benché aperto al pubblico per benevolenza del re, si configurava piuttosto come luogo di studio di un pubblico decisamente elitario, ma anche, e non contraddittoriamente, deputato alla specializzazione dei giovani, desiderosi di completare la propria formazione storico-artistica.

Questa situazione era destinata a cambiare profondamente, in piena età risorgimentale, subito dopo l'Unità quando, con decreto garibaldino, il museo assunse la denominazione e la funzione "Nazionale", proprio in un momento in cui la fotografia, superata la fase pionieristica della dagherrotipia e della calotipia, sostenuta da tecnologie riproduttive più rapide e sicure, cominciava a essere consapevole delle proprie straordinarie possibilità documentative, testimoniali e interpretative dell'osservato, potenzialità che si rivelarono da subito non solo come idonee ai bisogni conoscitivi e comunicazionali dei ceti sociali emergenti, ma anche a scrivere – o a collaborare a scrivere – il nuovo corso della pittura moderna e a fare di Napoli e Pompei un vivace laboratorio della ricerca artistica della seconda metà dell'Ottocento. Accadeva così che mentre Napoli veniva, in qualche modo, risarcita per la perdita del ruolo di capitale del Regno Borbonico, fino ad allora ricoperto, Roma era trascinata in un destino opposto perché, ormai prossima a dover rinunziare al medesimo ruolo, andava anche smarrendo il suo tradizionale primato nelle arti[>4].

La *liaison* Pompei/fotografia coincide con la nascita stessa della fotografia (1839); continua negli anni quaranta e nel decennio successivo, con l'attenzione, sporadica pur se fortemente sentita, dei pittori e dei viaggiatori del *Grand Tour*; si intensifica infine, a partire dagli anni sessanta, con la produzione fotografica dei grandi professionisti che, senza difficoltà, seppero adeguare la propria capillare attività 'documentaria' e documentativa alle richieste dei pittori, degli studiosi e degli antiquari, ma ancor più di un turismo che da aristocratico e alto borghese andava allora rapidamente divenendo di massa.

Se le prime fasi di questo percorso si collocano ancora in periodo borbonico, quelle successive degli anni sessanta e poi degli anni ottanta – che vedono approdare a Napoli fotografi provenienti da altre città italiane – interessano un lungo arco di tempo che va da Giuseppe Fiorelli (1860-1875) a Giulio De Petra (1875-1900), fino a lambire – dopo le brevi direzioni di Paolo Orsi (1900-1901) ed Ettore Pais (1901-1904) – l'attività di Vittorio Spinazzola (1910-1924)[>5].

Le prime immagini di Pompei, specchio dell'interesse turistico e archeologico inglese, risalgono all'iniziativa del fisico, filologo e viaggiatore inglese Alexander John Ellis (1814-1890) che, come è noto, aveva progettato una serie editoriale dedicata esclusivamente alle emergenze artistiche italiane, utilizzando le riprese meccaniche della fotografia, allora nella sua fase dagherrotipica, in grado di produrre ma non di riprodurre l'immagine per la natura di *unicum* del suo processo.

Egli, analogamente a quanto andavano contemporaneamente facendo Ferdinando Artaria e l'editore parigino Nöel Paymal Lerebours – rispettivamente con le *Vues d'Italie d'après le daguerréotype* e le *Excursions daguerriennes*[>6] – si era affidato a fotografi professionisti, oppure aveva eseguito, come nel nostro caso, egli stesso gli scatti, con l'intenzione di assegnarne la trascrizione figurativa a vari incisori e procedere poi con la stampa congiunta di testi e immagini. Fra l'aprile e il maggio del 1841 egli scattò personalmente numerose dagherrotipie[>7], le più precoci vedute fotografiche degli scavi pompeiani che – pur risentendo ancora fortemente degli schemi rappresentativi, di matrice rinascimentale, tipici di pittura e incisione, su cui l'utenza poggiava la stessa comprensione dei testi iconici – fanno comunque intravedere *in nuce* alcune delle caratteristiche narrative e segniche della nuova tecnologia rappresentativa, quelle che inconfondibilmente poggiano sulla sua natura di impronta e di 'indice'[>8], particolarmente care al Positivismo.

A differenza delle iniziative editoriali citate solo qualche rigo più su, Ellis, infatti, inizia ad allontanarsi dalla tradizione settecentesca dei *Voyages pittoresques* che, inquadrabile nella logica del sapere enciclopedico, obbediva ancora a precise scelte, non solo delle modalità rappresentative, ma soprattutto dei criteri di selezione e individuazione dei soggetti degni di essere raffigurati. Secondo un orientamento nuovo – destinato nel tempo al superamento dello stereotipo e dei *topoi* rappresentativi della veduta[>9] e di lì a qualche anno adottato da molti fotografi e da John Ruskin a Venezia[>10] – egli, variando il punto di vista e di ripresa, opta piuttosto per un approccio più libero e infinitamente più attento alla topografia e alla referenzialità dei luoghi e dei contesti osservati, nonché alla resa dettagliata in ogni loro particolare; un procedere che veniva a erodere il carattere 'elusivo' delle coeve serie editoriali da dagherrotipia, per divenire decisamente 'critico'[>11], ossia tale da promuovere la conoscenza e uno studio, filologicamente impegnato, del complesso archeologico di Pompei.

Quasi a sottolineare il desiderio del viaggio e, in particolare, del viaggio in Italia, precluso agli inglesi in epoca napoleonica[>12] ma fortemente stimolato dagli studi e dai numerosi repertori visivi elaborati in Gran Bretagna nel corso del Settecento[>13], sono due figli di Albione – i reverendi Richard Calvert Jones (1802-1877) e George Wilson Bridges (1788-1863)[>14] – che, ambedue nel 1846 e in un viaggio compiuto insieme, fotografarono Pompei con il sistema calotipia/carta salata che essi avevano appreso direttamente dall'inventore del processo, William Henry Fox Talbot (1801-1877) cui furono legati da rapporti di amicizia, di collaborazione professionale e da una fitta corrispondenza per noi particolarmente preziosa perché è appunto una lettera inviata da Bridges a Talbot nel 1847 a darci notizia dell'incontro e della attività di Stefano Lecchi (1804-1859?) a Pompei.

Fotografo, nel 1849, della caduta della Repubblica romana, ossia autore del primo reportage della storia della fotografia[>15], Lecchi secondo la testimonianza del collega inglese realizzò quattordici vedute calotipiche di Pompei in una sola mattinata; purtroppo però soltanto due esemplari di questa singolare impresa sono giunti fino a noi, oggi al Getty Research Institute di Los Angeles e nella collezione privata di Ruggero Pini[>16].

La formazione di studi classici dei due fotografi inglesi li porta ad aderire ancora alla tradizione dei *Voyages pittoresques* che, sul filo del ricordo, si evidenzia in Calvert, nel sommesso tono diaristico delle sue riprese, interessate agli aspetti referenziali dell'immagine, soprattutto in quanto possibile supporto iconico per ripercorrere l'esperienza di un viaggio già compiuto. Allievo del disegnatore naturalistico James Duffield Harding ed egli stesso abile disegnatore, nonché esperto nell'uso dell'acquerello e dell'olio, Calvert marca ulteriormente la tendenza settecentesca dei *voyages pittoresques*, legata al *Grand Tour* – ma anche all'iconografia di opere come *Le case ed i monumenti di Pompei* dei Niccolini[>17] – inserendo, in primo piano, la figura simbolica di un viaggiatore, intento a meditare sulla grandezza, imperitura ed eterna, del mondo antico, secondo una reviviscenza del "pittoresco" ribadita intervenendo con l'acquerello sulle immagini fotografiche, stampate, come quelle di Bridges, presso lo stabilimento fotografico di Talbot.

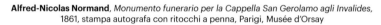

Alfred-Nicolas Normand, *Monumento funerario per la Cappella San Gerolamo agli Invalides,* 1861, stampa autografa con ritocchi a penna, Parigi, Musée d'Orsay

Alfred-Nicolas Normand, *Urna per il cuore della regina Carolina di Wurtemberg nella Cappella San Gerolamo agli Invalides,* disegno, 1862 circa, Parigi, Musée d'Orsay

All'ambiente artistico inglese dei preraffaelliti, in particolare grazie all'amicizia con Thomas Seddon e William Holman Hunt, è legato lo scozzese James Graham (1806-1869) che fotografò Pompei in calotipia nel biennio 1859-1860; le sue immagini, molto rare perché fuori da qualsiasi distribuzione commerciale, sono note in Italia attraverso le stampe all'albumina dell'album – dal titolo originale *Italy* – delle Raccolte Museali Fratelli Alinari, già datato 1858/1862[18].

Gli intenti della documentazione e le relative coordinate rappresentative non subiscono reali cambiamenti quando – dopo i perfezionamenti tecnici di Blanquart Evrard e di Le Gray alla primitiva formula di Talbot – giungono nel Mezzogiorno italiano i calotipisti Paul Jeuffrain (1809-1896), a Pompei nel 1852, e diversi altri autori che, pur utilizzando il negativo di carta, usavano anche quello su vetro, avvalendosi, per i positivi, della stampa al sale o all'albumina.

Agli anni cinquanta risalgono, infatti, numerose richieste per fotografare gli scavi, come quella (1855) di Giacomo Caneva di cui purtroppo, a tutt'oggi, non è stata rintracciata alcuna immagine, e quella di Edmund Bennett[19] la cui presenza a Pompei, nel marzo del 1855, è testimoniata da una veduta del Tempio di Mercurio e da un'altra della Casa di Pansa[20], eseguite con autorizzazione, concessa anteriormente al 1856, anno a partire dal quale, per volontà regia, gli scavi e il museo furono preclusi a qualsiasi attività fotografica, tanto che, soltanto a distanza di un anno, la domanda di Eugéne Piot (1856) non venne accolta[21].

Bisogna aspettare il biennio 1858-1859 per una ripresa dei lavori, ripresa che fu determinata dalle autorevoli credenziali diplomatiche, presentate da Claudio Grillet, Robert Rive e dal nobile Gabriel de Rumine (1841-1871)[22], nuovamente ammesso (1859) a eseguire pochi scatti nell'antica città romana, con un privilegio che, quasi subito, determinò le premesse di un regolamento definitivo che concedeva l'accesso agli scavi a tutti i fotografi che ne avessero avanzato domanda.

Contemporaneamente però cominciano a rafforzarsi, se non addirittura a palesarsi, nuovi e inediti orientamenti, carichi di futuro, con Alfred-Nicolas Normand (1822-1909)[23], *grand prix de Rome* nel 1846, *pensionnaire* di Villa Medici dal 1847 al 1852 e membro del circolo fotografico del Caffè Greco, punto d'incontro fra artisti, di nazionalità diversa, allora presenti nella capitale pontificia. Egli usa la fotografia per mettere insieme uno straordinario repertorio di forme cui attingere, non solo e in maniera strumentale, come suggerimento iconico della propria attività di architetto e decoratore, ma soprattutto come stimolo atto a spingerlo a una nuova e personale creatività, attitudine che, com'è noto, attraversa e caratterizza prepotentemente le tendenze neopompeiane della seconda metà del secolo per giungere poi fino al Simbolismo, facendo perno sulla fascinazione del passato e sul cortocircuito che viene a crearsi grazie al continuo e fruttuoso scambio fra fotografia, pittura, scultura, architettura e decorazione. Lo stesso Normand, con chiaro riferimento ai suoi viaggi a Pompei e allo

Gustave Boulanger, "Répétition du joueur de la flûte de La famme de Nicomêde [sic],
chez S.A.I. le prince Napoléon dans l'atrium de sa maison, avenue Montaigne", dipinto, 1861,
Versailles, Musée National du Châteaux

studio parallelamente ivi condotto con la fotografia e il disegno dal vero, sottolinea questo nuovo rapporto con l'Antico affermando che il suo intento era quello di realizzare "[...] un monument publique conforme aux usages de la France mais inspiré par les voyages et les études de l'Antiquité">[24].

Il concorso fra le varie arti viene emblematicamente messo a fuoco, proprio per il caso Normand, a proposito dell'atrio della casa pompeiana che egli, ispirandosi alla Villa di Diomede, alla Casa di Pansa e a quella del Poeta Tragico, costruì per il principe Napoleone in avenue Montaigne a Parigi, atrio scelto per ambientare la prima rappresentazione teatrale de *La femme de Diomede* di Théophile Gautier, avvenimento di esclusiva e mondana raffinatezza, a sua volta immortalato in un dipinto di Gustave Boulanger>[25], in cui presente e passato – grazie alla messa in scena, al montaggio e all'assemblaggio degli elementi che vi compaiono – si integrano fra loro senza soluzione di continuità, con esiti non dissimili dalle ricostruzioni fine ottocentesche delle abitazioni pompeiane, offerte dai Niccolini in *Le case ed i monumenti di Pompei*.

L'esempio di questa magione principesca, edificata nel 1856, fotografata da Pierre-Ambroise Richebourg>[26] e da J. Laplanche nel 1865 circa, dovette costituire, specie per i francesi, una precoce spinta a incamminarsi sulla via delle ambientazioni e delle decorazioni dall'Antico, tipiche della pittura neopompeiana; cassa di risonanza ancora maggiore e di carattere decisamente internazionale, dovette essere però, già due anni prima, la costruzione della *Pompeian Court*, al Crystal Palace (Londra 1854), interamente affidata, per la sua realizzazione, a Giuseppe Abbate – artista decoratore molto stimato da Fiorelli – che ripropose, in scala reale, una casa pompeiana tipo in cui ogni elemento, architettonico, decorativo e d'arredo, ivi compresi gli *instrumenta domestica*, era stato studiato su modelli effettivamente esistenti a Pompei>[27].

Il tutto era guidato dall'intento didattico della conoscenza attraverso la vista, in un momento in cui andava per la maggiore il dibattito sull'industrial design, sulle arti applicate e sulla concezione di quella perfetta fusione fra arte e artigianato che sarebbe sfociata poi nel pensiero di William Morris, nell'esperienza delle *Arts and Crafts*, nonché nella realizzazione pratica della *Red House*, opera dell'amico architetto Philip Webb, in cui, sotto la suggestione di Morris, architettura, decoro, mobilio, parati e vetrate si fondevano in un'unica realtà stilistica.

G. Di Scanno, *Saggi di restauro, atrio di una casa*, cromolitografia, 1896,
in Felice e Fausto Niccolini, *Le case ed i monumenti di Pompei*, vol. 4, tav. III,
Napoli, Biblioteca del Museo Archeologico Nazionale

J. Laplanche, *Atrio della casa pompeiana del principe Napoleone,* albumina, 1865, Parigi, Bibliothèque nationale de France

Pierre-Ambroise Richebourg, J. Laplanche, *Lato destro dell'atrio della casa pompeiana del principe Napoleone,* albumina, 1865, Parigi, Bibliothèque nationale de France

Nella stessa Napoli del resto, in particolare nel Museo archeologico, tempio e fonte d'ispirazione di tutta la cultura occidentale neopompeiana, Abbate aveva provveduto, venti anni dopo il suo primo exploit londinese, a decorare, in stile pompeiano, quattro sale del pianterreno, tre delle quali accoglievano i bronzi, ossia quell'assoluta eccellenza artistica che richiamava a Napoli, studiosi, artisti e turisti di tutto il mondo[28]; un'impresa particolarmente fortunata che si collocava, è utile sottolinearlo, negli anni 1864-1871, ossia nel periodo in cui cominciavano a radicarsi, con maggior forza, gli interessi neopompeiani della pittura.

Non è a caso che molti particolari architettonici e decorativi usati da Normand e da altri autori, nel ventennio 1850-1870, siano accostabili a quelli che si ritrovano nella più tarda villa in stile pompeiano di Franz von Stuck a Monaco di Baviera e, uscendo dall'ambito dell'architettura, ai mosaici di Wilhelm Köppen, come alle parti decorative dei dipinti di Hans von Marées[29], di Lawrence Alma-Tadema[30] e dello stesso Stuck[31], autori legati ai "Deutsch-Römer"[32], o essi stessi membri di quel sodalizio, estimatori convinti dell'aiuto della fotografia alle arti che, proprio allora, andavano mettendo insieme cospicue collezioni fotografiche, adeguate alla prassi del proprio lavoro. A partire timidamente appunto da Normand, la fotografia, come fonte fedele, andava infatti sempre più a sostituire i grandi e monumentali repertori pompeiani del Settecento e, per quanto ci riguarda più direttamente, quelli realizzati – con disegni a contorno, con l'incisione o con la cromolitografia – nella prima metà dell'Ottocento.

Questo passaggio epocale non poteva però concludersi compiutamente se non attraverso l'opera collettiva dei numerosi fotografi che, negli anni sessanta e settanta – soprattutto Alphonse Bernoud (1820-1889), Giorgio Sommer (1834-1914), Michele Amodio (1817/20-1913), Robert Rive (? -1868) e Achille Mauri (1836 circa - 1910 circa)[33] – si proposero di contrapporre i nuovi repertori visivi della fotografia, meticolosamente precisi nella resa della realtà osservata, alla manualità infedele e fortemente interpretativa di opere quali il *Real Museo Borbonico*[34], *Le case ed i monumenti di Pompei*[35] e le più precoci *Ruines*[36] di Mazois; un impegno particolarmente ambizioso perché di

Pierre-Ambroise Richebourg, *Giardino d'inverno della casa pompeiana del principe Napoleone*, albumina, 1865, Parigi, Bibliothèque nationale de France

J. Laplanche, *Replica di un tempio ateniese nel giardino d'inverno della casa pompeiana del principe Napoleone*, albumina, 1865, Parigi, Bibliothèque nationale de France

fatto, specie l'opera dei Niccolini fu a lungo presa a modello compositivo e iconografico, non solo dalla stessa fotografia, ma dalla nascente tendenza neopompeiana della pittura. Lo sforzo dei fotografi fu però anche particolarmente utile, sul piano sociale della democratizzazione culturale, in quanto le tradizionali opere a stampa, per il pregio e il loro relativo elevato costo, erano state appannaggio esclusivo di una nicchia di studiosi particolarmente interessati all'archeologia pompeiana e ben addentro alla conoscenza delle biblioteche e delle istituzioni che possedevano copia di questa particolare editoria illustrata, ancora molto prossima alle idealità simboliche dei *Voyages pittoresques*.

Per l'influsso della "Scuola fotografica romana"[37] e la lezione di Le Gray e di Le Dien[38], nelle più precoci immagini fotografiche, si sovrappone, a volte – come nel caso di Rive – una notevole volontà interpretativa in accezione paesaggistica che, mentre si allontana, per il sentimento della natura, dalla precedente tradizione rappresentativa, non contrasta, anzi amplifica, quella fedele referenzialità cui è sempre improntata la meccanicità della nuova tecnologia.

I prezzi infinitamente più contenuti delle fotografie, la possibilità di acquistare non solo le serie, ma anche immagini sciolte e personalmente selezionate per gusto ed esigenze, il loro agevole trasporto, specie dei formati più piccoli, la facile reperibilità delle immagini – che venivano vendute anche presso gli Scavi[39] – fecero della fotografia un volano iconico di straordinaria efficacia divulgativa per tutti i ceti sociali, favorendo – per non dire determinando – la conoscenza e la fortuna degli Scavi e del Museo Nazionale di Napoli a favore del turismo borghese internazionale.

Fra tutti i fotografi, prevalentemente stranieri, residenti a Napoli – o come Achille Quinet (1831-1907)[40] approdativi per breve ora – che, senza una precisa committenza, si autoproposero come ideatori, autori, distributori ed editori delle proprie immagini, un posto e un ruolo di indubbio rilievo – come ha già sottolineato Milanese, studiando gli allestimenti del Museo Archeologico napoletano[41] – spetta senz'altro a Giorgio Sommer, il primo ad aver avuto, ancora in periodo borbonico, autorizzazione regia a eseguire riprese agli scavi di Pompei, non per le sue credenziali diplomatiche, ma semplicemente per la sua professione di fotografo impegnato e fortemente determinato a promuovere una documentazione capillare e democratica dell'antica città circumvesuviana. A testimoniarlo è una fonte archivistica che ricorda come i permessi già accordati, a Gabriel de Rumine, Robert Rive, Claudio Grillet[42] e Alphonse Bernoud fossero stati caldeggiati, rispettivamente, dal granduca Costantino di Russia, figlio dello zar Nicola I, dal barone Kanitz, "ministro plenipotenziario di S.M. il Re di Prussia", da Leopoldo, conte di Siracusa e fratello del re e, infine, per Bernoud, dalla stessa casa borbonica[43].

Questo primo permesso, datato all'aprile del 1860, diversamente da quanto era precedentemente avvenuto, autorizzava Sommer a lavorare agli Scavi per un periodo, insolitamente lungo, di sei mesi[44]; la richiesta era stata motivata dal fotografo sulla base di un programma ben preciso, quello di allontanarsi dall'immagine unica, algida, icastica e fortemente riassuntiva dei valori culturali e simbolici degli edifici pompeiani, realizzando, invece, per ciascun monumento, più di un solo scatto[45] secondo una strategia visiva che teneva nel debito conto le istanze di un'utenza, non più elitaria, ma bisognosa di personalizzare la visione e di scandire a proprio agio il tempo della conoscenza, girando intorno al manufatto artistico per meglio guardarlo, vederlo e farlo proprio. Un approccio simile veniva inoltre a obbedire – come la contemporanea iniziativa romana di John Henri Parker (1806-1884)[46], ugualmente dedicata all'Antico, ma dell'intera Italia – non solo alle richieste di un'utenza indifferenziata, ma anche e soprattutto a quelle, più mirate e particolari, degli archeologi, degli eruditi, degli artisti e degli antiquari.

Diversi elementi che traspaiono dai documenti letti all'Archivio Centrale dello Stato, la stessa consistenza delle immagini pompeiane degli anni sessanta, i criteri catalografici delle fotografie – perfettamente a specchio rispetto a quelli adottati dalla direzione del Museo – permettono di ipotizzare una stretta collaborazione fra Sommer e Giuseppe Fiorelli e poi fra il fotografo e Giulio De Petra, nella misura in cui quest'ultimo andò realizzando i progetti del suo predecessore.

È da notare infatti come il repertorio pompeiano – ammontante, nel 1886, a un totale di duecentoventisei immagini, calcolando soltanto i formati 'Grande' e 'Mezzano' ed escludendo tutti gli altri – sia inserito e considerato, nei diversi cataloghi del fotografo[47], come appendice di quello del Museo e come sia stato arricchito con l'aggiunta delle *Baccanti*, riprese da un'opera già menzionata e particolarmente frequentata dagli archeologi dell'epoca, ossia da alcune tavole del *Real Museo Borbonico*.

Per ciò che pertiene al Museo – al di là del numero veramente stupefacente dei soggetti pompeiani – che nel 1886 comprendeva seicentosettantotto soggetti – siamo inoltre colpiti dalla loro suddivisione catalografica e filologicamente ineccepibile, divisa nelle sottosezioni di *Affreschi di Pompei e Ercolano dagli originali*; *Bronzi* (a loro volta scanditi nelle sottoclassi di *Busti*, *Gruppi*, *Piccoli bronzi*), *Statue*; *Marmi* (*Bassorilievi*, *Busti*, *Gruppi*, *Statue*); *Medaglie*; *Mosaici*; *Oggetti diversi*; *Oggetti preziosi*; *Vasi Greci ed Etruschi*; *Collezione Santangelo*; *Collezione Cumana*. Ad arricchire ulteriormente lo scrupolo filologico, proprio al fotografo, ma anche fomentato dal confronto con gli studiosi allora impegnati nel nuovo allestimento e nel riordino del Museo, giocano una funzione determinante l'indicazione dei luoghi e delle date di ritrovamento degli oggetti fotografati e la specifica degli anni in cui, personalmente, egli eseguì le fotografie delle impronte umane, man mano realizzate.

Mi sembra che come scelta personale di Sommer, ossia lontana da una possibile influenza di Fiorelli, risulti soltanto la sezione, anch'essa strettamente legata a Pompei, dedicata al Vesuvio che – come apertamente sottolinea il profilo della montagna fumante sullo sfondo di alcune vedute dell'antica città romana – costituiva infatti per il fotografo il principale protagonista iconografico di Pompei; un gemellaggio visivo ribadito, proprio nella sezione vesuviana, dalla fotografia del famoso dipinto di Édouard Alexandre Sain, *Fouilles a Pompei* (1865), che Sommer ribattezza *Donne lavorando nei scavi*, quasi a voler sottolineare, nella continuità fra presente e passato storico, due temi all'epoca molto sentiti dagli artisti: il recupero dell'Antico nella quotidianità del suo vissuto e l'esaltazione della 'naturale' nobiltà e bellezza del popolo romano[48] che attrasse non solo il pittore francese, ma lo stesso Sommer, noto per i suoi 'costumi', per i ritratti di popolane di particolare avvenenza e per i mestieri che vanno per via il cui sapore, quasi vernacolare, fa capolino nella coeva pittura neopompeiana, come ad esempio, nel *Venditore di anfore a Pompei* (1875) di Enrico Salfi.

Dopo il primo lustro degli anni settanta, partito Bernoud[49] da Napoli per far rientro a Lione, continuano la propria attività agli Scavi e al Museo gli autori che più precocemente vi avevano lavorato e, fra gli altri, Rive, Amodio, Mauri e Sommer. Ben presto però aprirono nuovi esercizi nel capoluogo campano numerosi altri operatori, ugualmente legati a Pompei, i cui nomi, non sempre individuati dall'ampia letteratura raccolta da Marinetta Picone Petrusa e Daniela del Pesco[50], ci sono rivelati dalle fonti archivistiche[51] e dagli straordinari, ricchissimi depositi delle immagini documentative e 'documentarie', consegnate per legge dagli stessi fotografi, oggi conservate presso le Soprintendenze archeologiche di Napoli e di Pompei, nonché nel fondo del Ministero della Pubblica Istruzione delle collezioni dell'Istituto Centrale per il Catalogo e la Documentazione.

Enrico Salfi, *Venditore di anfore a Pompei*, olio su tela, 1883 circa,
Milano, Galleria d'Arte Moderna

In prosieguo di tempo, ugualmente non va trascurata la produzione, soprattutto anni ottanta, dei fotografi provenienti da altre città italiane, principalmente quella delle Ditte fiorentine Alinari[>52] e Brogi[>53], del romano Cesare Vasari (1846-1901)[>54], nativo di Arezzo, e di Gustave Eugène Chauffourier (1845-1919)[>55], attivo, oltre che a Napoli, anche a Palermo e a Roma, mentre le immagini della Ditta Anderson appartengono alla fine degli anni novanta e oltre, periodo in cui si colloca anche la stagione fotografica di un raffinato cultore d'archeologia, il domenicano Peter Paul Mackey (1851-1935)[>56].

Fra tutti questi autori – che si avvalsero di specchi per convogliare la luce sui propri soggetti, di telai e tende per isolare determinate sculture rispetto agli ambienti museali, di cavalletti per la ripresa dall'alto o per portarsi alla quota degli oggetti da fotografare – il caso Vasari merita ulteriore, pur se succinta, menzione se non altro perché del tutto sconosciuto agli studiosi, malgrado la non trascurabile consistenza delle immagini che ci interessano, ammontanti, complessivamente, a duecentodiciotto negativi al collodio di straordinaria fattura, risalenti agli anni sessanta/settanta, dei quali novantaquattro sono dedicati al Museo e ben centoventiquattro agli Scavi; la notorietà degli altri fotografi ci consente, invece, di non soffermarci ulteriormente su di loro, tanto più che la natura di questo scritto non mira certo ad approfondire gli aspetti filologici della storia della fotografia.

Ci preme piuttosto, a questo punto, marcare con più forza come la fotografia provvede ai propri fini in qualità di medium che, a differenza di tutte le altre tecniche rappresentative, riunisce in sé le caratteristiche congiunte di 'indice', 'icona' e 'simbolo'[>57], muovendosi costantemente fra presenza e assenza; da una parte infatti, per la sua natura di impronta, l'oggetto raffigurato è realmente presente nell'immagine, mentre le modalità della raffigurazione, per l'implicito intervento creativo del fotografo, possono solo indurci a immaginare di percepire il soggetto raffigurato come se fosse presente. Accade così che la fotografia, per il proprio statuto, si muova fra i concetti distinti, ma non contraddittori di 'finestra' e di 'specchio' già precocemente individuati nel 1978 da John Szarkowski[>58], ossia oscilli costantemente fra denotazione e connotazione, nella misura in cui può accadere che l'immagine si lasci attraversare per mostrarci con più forza i propri referenti, oppure, per i caratteri formali che la contraddistinguono, si presenti piuttosto come specchio del pensiero estetico di chi a

Studio Vasari (Alphonse Bernoud, poi Achille Mauri), *Ciabattino* (pastore di presepe di produzione Sommer,
ambientato in una struttura in sughero), anni ottanta, da lastra alla gelatina bromuro d'argento, 9 x 12,
Roma, Istituto Centrale per la Grafica

quell'immagine ha dato vita.

Su questa ineliminabile oscillazione, più di recente, è tornato Olivier Lugon[59] nel defini-
re lo 'stile documentario', come attitudine delle immagini fotografiche a contenere in sé non soltanto
gli aspetti documentativi e testimoniali, ma anche quelli autoriali, estetici e creativi; una verità episte-
mologica che, ovviamente, coinvolge la produzione fotografica di tutti i tempi.

La fotografia *tout court* si inserisce precocemente, già nel corso dell'Ottocento, nel sistema dell'arte proprio per queste prerogative; essa può offrirsi, infatti, come medium privilegiato
dell'informazione turistica, come surrogato, anche se solo virtuale, del viaggio e, soprattutto, come
promotrice di nuove strategie rappresentative e input alla creazione artistica, secondo una vocazione già sottolineata da Conticello che considera imprescindibile, per la comprensione dell'arte del
secondo Ottocento "collocare [...] i fotografi [...] nelle correnti artistiche che contemporaneamente
trovarono spazio nella realtà napoletana [...] e nello sviluppo del filone artistico 'storico-pompeiano',
diffusosi a livello nazionale"[60] e internazionale.

Già da tempo Pietro Selvatico Estense[61] aveva sottolineato l'importanza della fotografia
come stimolo al rinnovamento dell'arte mentre, quasi negli stessi anni, la direzione dell'Accademia di
Brera aveva disposto l'acquisto di alcune fotografie di Luigi Sacchi[62] quale indispensabile strumento
di formazione per il disegno architettonico, sottolineando, contraddittoriamente, l'abitudine a considerare la fotografia, non quale stimolo, ma piuttosto quale strumento ancillare della formazione e
della produzione artistica.

In prosieguo di tempo, diversi documenti d'archivio, tarati sulla medesima traiettoria
d'indirizzo dell'Accademia braidense, testimoniano il desiderio di fotografare Pompei e il Museo
Archeologico di Napoli, per comporre repertori di modelli a scopo didattico, non importa se per
un uso diretto, o mediato attraverso l'editoria illustrata. Ne sono esempio le domande di Giuseppe
Du Chaliot "architetto e professore di disegno di architettura nella Regia Scuola degli Ingegneri" di
Napoli[63] e quelle, più prestigiose, di insigni studiosi, vicini a Fiorelli, quali August Mau che, com'è
noto, dopo aver studiato a Pompei, ha per primo diviso in quattro stili gli affreschi della città[64] e, an-

Studio Vasari (Alphonse Bernoud, poi Achille Mauri), *Castagnaro*, anni ottanta,
da lastra alla gelatina bromuro d'argento, 9 x 12, Roma, Istituto Centrale per la Grafica

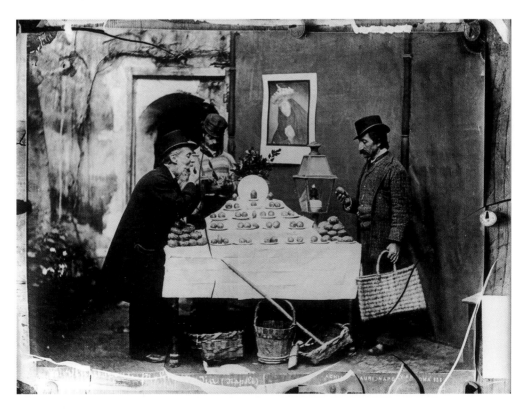

Studio Vasari (Alphonse Bernoud, poi Achille Mauri), *Venditore di fichi d'India*, anni ottanta,
da lastra alla gelatina bromuro d'argento, 9 x 12, Roma, Istituto Centrale per la Grafica

Teodoro Duclère, *L'ostricaro*, litografia, 1857,
in De Bourcad, *Usi e costumi di Napoli e contorni*

Teodoro Duclère, *La venditrice di polpi*, litografia, 1857,
in De Bourcad, *Usi e costumi di Napoli e contorni*

cora, di Carlo Ermes Visconti, marchese di San Vito che, in qualità di presidente del Museo Artistico Municipale di Milano, presentandosi a nome di Bertini e Boito, chiede l'opera di Michele Amodio per riprendere alcuni elementi decorativi dell'antica Pompei, convinto che, come quelli del Rinascimento, potessero utilmente "servire di ammaestramento per gli allievi della nostra scuola di disegno applicato alle arti minori che sta annessa al Museo">[65]; né infine può dimenticarsi l'analoga richiesta avanzata, nel 1881, da Friedrich Konrad Wilhelm von Lange per alcuni piccoli bronzi della II sala del Museo>[66].

Diverso da quello degli studiosi e dei docenti delle accademie è invece l'atteggiamento degli artisti che, facendo tesoro dell'insegnamento di Selvatico Estense, a seconda delle proprie inclinazioni e dei propri bisogni, andavano anch'essi raccogliendo ricchi patrimoni di immagini, attratti sì dalla fedeltà 'indicale' del mezzo meccanico, ma ancor più da quelle qualità linguistiche che si fecero precocemente apprezzare soprattutto dai pittori di paesaggio e, subito dopo, dagli autori fiorentini del Caffè Michelangelo>[67] che, grazie alla fotografia, seppero guidare l'arte verso la modernità.

Fra gli artisti che per primi se ne avvalsero figurano, fra gli altri, Charles Garnier, Bernardino Montañés, Vittorio Avondo, Alessandro Prampolini, Edmond Lebel, Jean-Baptiste Daniel Depuis, Théophile Chauvel>[68], cui nel tempo si aggiunsero molti altri, e fra loro, oltre a quelli già ricordati dei "Deutsch-Römer", in estrema sintesi e riferendomi unicamente all'Italia, Federico Faruffini>[69], Francesco Paolo Michetti>[70], Mario De Maria>[71], Scipione Vannutelli>[72], Ettore Roesler Franz, Domenico Morelli, Duilio Cambellotti e Giulio Aristide Sartorio>[73].

L'intreccio delle esperienze artistiche che pittura e fotografia vengono fra loro tessendo diventa quanto mai fitto, complesso e intricato soprattutto a partire dagli anni sessanta, quando i due media lavorano intorno a un unico tema binomiale, Pompei e l'Antico, adottando, inoltre, modalità rappresentative decisamente di rottura rispetto alla tradizione precedente.

Alla teatralità barocca o alla compostezza algida e astratta del Neoclassicismo, la pittura e la fotografia neopompeiane contrappongono la vivacità e la spontaneità di gesti di un vissuto quotidiano poco paludato che nasce dal desiderio di ripopolare le strade, le case e le botteghe deserte di Pompei, quasi a ricomporne l'esistenza interrotta e a infondere nuova vita ai corpi sopravvissuti e rivelati da quei calchi umani che tanto avevano colpito la fantasia collettiva.

Le nuove possibilità rappresentative dischiuse, a partire dal 1880, dai tempi brevi della gelatina bromuro d'argento, soprattutto rispetto alla resa del movimento, spingevano del resto in questa

Teodoro Duclère, *Il tavernaio*, litografia, 1857,
in De Bourcad, *Usi e costumi di Napoli e contorni*

Pasquale Mattei, *Il venditore di fichi d'India*, litografia, 1857,
in De Bourcad, *Usi e costumi di Napoli e contorni*

direzione, testimoniata da numerose richieste per riprendere circostanze, eventi e gruppi di visitatori negli scavi di Pompei[>74]: attività in cui si distinsero, all'epoca di De Petra, i fotografi Pasquale Esposito e Francesco (?) Achille che, spesso, usavano colorare le proprie immagini[>75].

La tendenza al *plein air* o le luci cristalline e pure di certi interni pittorici, ormai nel regno della Macchia[>76] e dell'Impressionismo incalzante, attribuiscono ulteriore vigore al realismo minuto e descrittivo tipico della pittura neopompeiana. Vi confluiscono diversi elementi della tradizione più o meno recente, improntati a un "anacronismo"[>77] che accosta fra loro realismo, verismo, amori e umori preraffaelliti, pulsioni che annunziano il Simbolismo, il Decadentismo bizantineggiante di impronta dannunziana, ma anche la tradizione dei mestieri che vanno per via. Una corrente quest'ultima ispirata direttamente alla gestualità napoletana e sottolineata, nel secolo precedente, dal presepe napoletano e, in anni più vicini – oltre che dalla coeva pittura – dalle fotografie, anni sessanta, di Bernoud, Giorgio Conrad e Sommer, spesso riprese, quasi in un calco iconografico, da autori come Matania e Armenise[>78].

Sommer, nei propri repertori di vendita, proponeva addirittura, per l'allestimento dei presepi, pastori e gruppi di venditori ambulanti in terracotta[>79], secondo una tendenza alla tridimensionalità riproduttiva, oltre che bidimensionale della fotografia, che lo portò a commissionare agli artisti dell'epoca, riproduzioni marmoree dall'Antico e, insieme a Chiurazzi, ne fece uno dei più prestigiosi fonditori di copie pompeiane[>80] – oggetti d'uso quotidiano, sculture, mobilia – nel solco di un gusto antiquario nell'arredo a lui contemporaneo, testimoniato da Alma-Tadema in *La galleria delle statue* (1874), nonché da un fiorentissimo mercato.

Numerosissimi autori neopompeiani di varia nazionalità evidenziano queste tendenze, insieme tematiche e linguistiche, e fra essi i francesi Gabriel-Auguste Ancelet, Théodore Chassériau e Jean-Léon Gérôme, l'appena ricordato sir Lawrence Alma-Tadema, olandese naturalizzato inglese – il più convinto e prolifico cultore di questa nuova ispirazione dall'Antico – nonché il consistente drappello dei pittori italiani: Filippo Palizzi, Francesco Sogliano, Giacinto Gigante, Francesco Saverio Altamura e Achille D'Orsi. E ancora, più in particolare, Domenico Morelli e il suo precoce *Bagno pompeiano* (1861); Federico Maldarelli e i dipinti *Ione e Nidia* (1864), *La pompeiana* (1870) e *Stanza da letto di una pompeiana* (1870), dallo straordinario intimismo narrativo e dall'eccezionale interpretazione della luce/colore macchiaiola; Camillo Miola e *Il fatto di Virginia* (1882) in cui ci colpisce il racconto minuto della macelleria che si affaccia sulla strada affollata, prestandosi da fondale al fatto di sangue; Francesco Netti e *Lotta di gladiatori ad una cena di Pompei* (1880).

V. Loria, *I mestieri e le industrie dei pompeiani*, cromolitografia, 1890, in Felice e Fausto Niccolini, *Le case ed i monumenti di Pompei*, vol. 3, tav. VIII, Napoli, Biblioteca del Museo Archeologico Nazionale

G. Di Scanno, *Saggi di restauro, strada con botteghe*, cromolitografia, 1896, in Felice e Fausto Niccolini, *Le case ed i monumenti di Pompei*, vol. 4, tav. II, Napoli, Biblioteca del Museo Archeologico Nazionale

La produzione piuttosto tarda di Miola e Netti ci consente di accostarla cronologicamente agli inizi dell'attività di Guglielmo Plüschow (1852-1930)[81], di Wilhelm von Gloeden[82] e di Guido Rey (1860-1935), raffinato autore torinese, quest'ultimo, particolarmente vicino soprattutto ad Alma-Tadema, noto per le sue ricostruzioni di dipinti di tutte le epoche, osannato dalla critica coeva e pubblicato da Alfred Stieglitz in "Camera Work", la rivista più prestigiosa dell'epoca in quanto vetrina internazionale del Pittorialismo, prima, e della Nuova fotografia americana immediatamente dopo[83].

Già nel 1898, in occasione dell'Esposizione nazionale di Torino, nel cui ambito Rey guadagnò la medaglia d'oro, fu immediatamente notato come "l'ispiratore ideale [delle sue] scene romane è visibilmente il flemmatico fiammingo britannizzato [...] Alma-Tadema. Si vede che il Rey ha per l'inesauribile e poetico evocatore di tanti episodi di antica vita serena, un vero culto, ma l'ammiratore non è troppo al di sotto del suo modello"[84].

La sua formazione artistica all'Accademia Albertina di Torino, la sua vasta cultura umanistica e storico-artistica, l'amicizia di Bistolfi, Calandra, Grosso, Delleani, Rubino e Tallone – che gli dedicò un bel ritratto, oggi alla GAM di Torino – insieme al solido apprendistato fotografico con Vittorio Sella, ne fecero infatti, per gusto e profonda convinzione estetica, un insuperabile e convinto fotografo neopompeiano.

La vicinanza fra i due autori mette ben in luce quella sorta di continuo rispecchiamento che intercorre, ed è sempre intercorso, fra pittura e fotografia; se è indubbio che Alma-Tadema, grazie al suo ricchissimo archivio – oggi all'Università di Birmingham – si è avvalso dell'aiuto dell'immagine meccanica, attingendo soprattutto al repertorio di Plüschow, ora è un fotografo, Guido Rey, che quasi in un refrain e in un cerchio che non ha fine, guarda alla pittura per appagare la propria sensibilità estetica. Negli stessi anni, del resto, anche un classico come *Le case ed i monumenti di Pompei* dei Niccolini non disdegna, per alcune tavole del suo quarto e ultimo volume (1896), di ricorrere alla fotografia che, alle proprie origini, aveva guardato proprio a quell'opera come modello iconico e rappresentativo di particolare vitalità.

A prescindere dall'uso particolare e avvolgente della luce e dalla predilezione per il quotidiano che anima Rey quanto Alma-Tadema e Plüschow, ci colpisce la presenza ricorrente nelle loro opere di un preciso elemento architettonico che, per quanto riguarda Rey, faceva parte della scenografia d'arredo che egli aveva voluto per il vasto giardino che circondava la sua villa nella zona collinare di Torino, un elemento pompeiano che diventa neopompeiano grazie all'interpretazione dell'Antico, offerta dai tre autori: l'*esedra*. Si tratta di un sedile semicircolare continuo, con schienale istoriato da un'epigrafe e a cornice sporgente, ornato esclusivamente con zampe di grifo alle estremità, previsto sia nelle abitazioni private che in edifici pubblici, ma anche nei monumenti sepolcrali. Pompei era particolarmente ricca di questi luoghi di conversazione e d'incontro, distribuiti lungo le vie suburbane; nelle case l'esedra era

G. Di Scanno, *Saggi di restauro, una bottega lungo la strada*, cromolitografia, 1896,
in Felice e Fausto Niccolini, *Le case ed i monumenti di Pompei*, vol. 4, tav. IV,
Napoli, Biblioteca del Museo Archeologico Nazionale

Federico **Maldarelli**, *La pompeiana*, olio su tela, 1870,
Avellino, Museo Provinciale

mobile e appoggiata al peristilio, mentre diventava fissa nei luoghi pubblici come nel caso dell'esedra del Foro Triangolare che, costruita per l'ascolto di un maestro o di un oratore, fu giustamente definita *scola*. Particolarmente famosa fu nell'Antico – e di conseguenza anche in periodo neopompeiano – l'esedra o *Sedile* della Tomba della sacerdotessa Mamia della necropoli di Porta Ercolano, i cui resti furono fotografati già da Guglielmo Bircham[85] nel 1860, che vediamo perfettamente delineata in una delle cromolitografie di *Le case ed i monumenti di Pompei*, ma che fa da protagonista assoluta, appunto, nei dipinti di Alma-Tadema, così come nelle fotografie di Rey e di Plüschow.

Se alle immagini di Rey mancò una distribuzione commerciale e rimasero di conseguenza poco note, lo stesso non può certo dirsi per le fotografie di Plüschow che, nel 1898, vennero pubblicate nel numero di marzo della rivista "Schribner's" a corredo di un articolo di Eustace Neville-Rolfe dal titolo *Pompeiian gentleman's home-life* e, per l'ampia tiratura della stampa, nonché per la notorietà dell'autore – studioso attento di Pompei e del Museo Archeologico di Napoli[86] – acquisirono, da subito, vasta visibilità internazionale a tutti i livelli sociali e culturali.

Come Rey, anche i due cugini tedeschi, nella ricerca del proprio stile, avevano battuto la medesima strada destoricizzante su cui si erano mossi fin dagli inizi i propri confratelli pittori; è noto come essi, eredi delle esperienze della precedente generazione preraffaellita, parnassiana e verista, attraverso l'esaltazione dell'invenzione e l'uso trasfigurante della luce – tipici non solo della pittura ma, allora, anche della corrente pittorialista di cui essi facevano parte – tentarono un primo passo verso la negazione del documento e, pur facendo leva sugli aspetti indicali e iconici, congeniti alla fotografia, riuscirono a conciliare e a fondere fra loro realismo rappresentativo, cultura artistica, passata e coeva che fosse, ed epifania del sentimento personale. Un modo di sfruttare ed esibire la natura translinguistica della fotografia quale elemento coerente e non discontinuo di indagine e di interpretazione storica ed entrare, così, nelle complesse trasfigurazioni estetiche e affabulatorie fornite da tutta la tradizione figurativa precedente, cui la fotografia dà e riceve nuovo spessore, aprendo ipotesi diverse e nuovi scenari interpretativi atti a favorire la creatività.

Le fotografie del professionismo e dei pittorialisti, fra cui anche quelle di Plüschow dedicate a Pompei, mettono in moto tutte le suggestioni delle immagini mentali pensate da Calvino nelle *Città invisibili*[87], ossia il desiderio, la memoria, i segni del tempo e il suo millenario stratificarsi, lo sguardo, il

Teodoro Duclère, *Tomba di Mamia. "Descrizione generale"*, cromolitografia, 1862, in Felice e Fausto Niccolini,
Le case ed i monumenti di Pompei, vol. 2, tav. VII, Napoli, Biblioteca del Museo Archeologico Nazionale

Sir Lawrence Alma-Tadema, *Un'esedra*, olio su tavola, 1869,
New York, Frances Lehman Loeb Art Center, Vassar College, Poughkeepsie (Gift of Mrs. Avery Coonley)

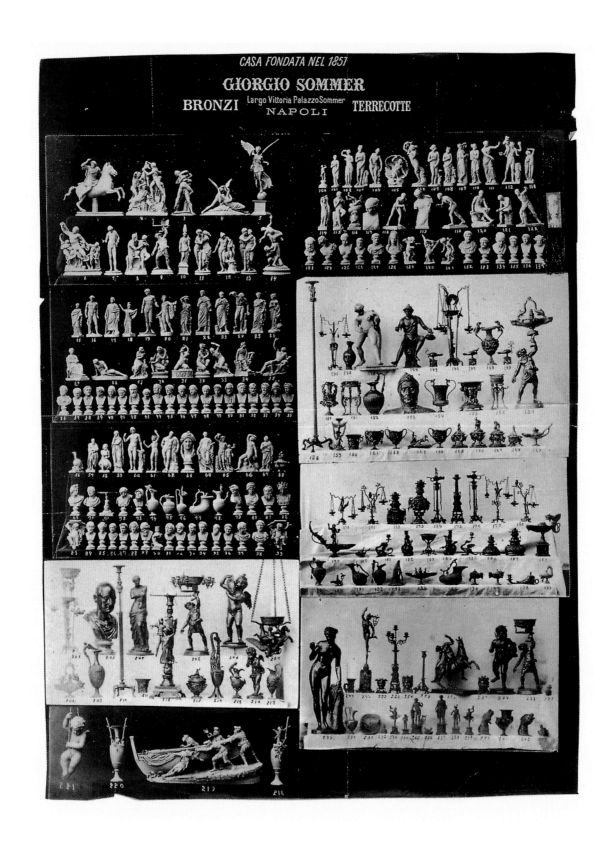

Giorgio Sommer, *Repertorio dei bronzi della propria fonderia*, albumina, 1880 circa,
Monaco di Baviera, Neue Pinakothek, Collezione Siegert, acquisto del Pinakotheks-Verein
con il supporto dell'Ernst von Siemens Kunststiftung e della Sparkassen-Finanzgruppe

rapporto con la natura e lo spazio, le mutazioni interpretative, l'origine delle loro nominazioni, il rapporto con la morte e la storia, la visibilità o l'invisibilità delle varie e numerose stratificazioni urbanistiche e architettoniche subite nel corso dei secoli.

In altri termini, la fotografia entra con irruenza esplicita in quel fruttuoso campo di interscambiabilità di termini, di valenze variabili e di influenze che in età postmoderna è divenuto il cardine della produzione estetica, sia alta che bassa, che Didi-Huberman[88] ha studiato in relazione a un affresco di Beato Angelico e che, per quanto riguarda l'esegesi teorica, dopo Umberto Eco[89], è stato oggetto specifico di studio di Roland Barthes[90] e di Rosalind Krauss[91]. L'analisi, infatti, con modalità diverse, ha preso le mosse dal diverso uso e dai diversi significati che lo *spectator* e l'utenza hanno attribuito all'immagine, a seconda dei contesti personalizzati del suo utilizzo e indipendentemente dai suggerimenti di lettura offerti dal suo produttore.

L'interazione pittura/fotografia che, fra gli anni sessanta e la fine del secolo, accompagna e rende possibile l'attività estetica neopompeiana, si fonda proprio sull'interpretazione testuale, sulla possibilità soggettiva di inoltrarsi e perdersi con l'immaginazione nella profondità dei significati di una data immagine storica, sugli avvenimenti del passato che essa contiene e che "come le linee di una mano"[92], alludono, contemporaneamente, a ciò che è stato e a ciò che è, nella lucida volontà di riallacciarsi alle esperienze della tradizione, per dar luogo a nuove forme e a nuovi significati e accedere, infine, alla linfa vitale di una creatività inedita.

Alla conoscenza turistica interessata alla referenzialità del patrimonio storico-artistico pompeiano, viene affiancandosi, nel sovrapporsi fra documentazione e 'stile documentario', la memoria storica, dei mille modi in cui particolari opere, oggetti d'uso e architetture sono stati resi e interpretati, nel loro spirito e nella loro essenza, dall'occhio che nei secoli e con più tecniche li ha contemplati e fatti propri.

Dopo le continue interferenze fra pittura e fotografia dell'ultimo ventennio del XIX secolo, all'inizio del Novecento le fotografie di Gloeden e di Plüschow entrano a far parte non solo dei repertori iconografici di formazione di accademie e di istituti artistici, ma anche di quelli di alcuni artisti che si avviano verso la modernità, come Duilio Cambellotti e Gino Coppedé. Nel primo caso – testimoniato dall'Istituto d'Arte di Firenze[93] – il farsi della mano veniva garantito dalla copia fedele dell'opera fotografica presa a modello che, fortemente formalizzata e densa di significati, di tensioni e di ammiccamenti simbolisti, in quanto perfettamente allineata rispetto al coevo gusto artistico, veniva anche a sostenere il compito di un adeguato aggiornamento culturale dell'espressione estetica.

In contrasto con l'utilizzo accademico, Gino Coppedé e Duilio Cambellotti[94] escludono sia l'impiego della copia che la necessità di un semplice aggiornamento delle forme; essi, infatti, avevano selezionato, accanto ad altre, le fotografe di Gloeden e di Plüschow soprattutto perché esse, in una rilettura critica di tutti gli stili antichi – o precedenti alla propria generazione – condensando in sé la storia e il percorso più recente dell'arte, a partire dai preraffaelliti fino ai simbolisti, li aiutavano e li appoggiavano nel non facile superamento della rappresentazione e della mimesi, che fino ad allora aveva nei secoli costituito la tensione più alta delle arti.

Siamo, com'è possibile constatare, sul filo sottile, prossimo a spezzarsi, dello scontro fra tradizione e nuova creatività estetica del Novecento; le fotografie dei due cugini che tanto interesse avevano suscitato in molti ambiti e che ovunque avevano goduto di una diffusione decisamente eccezionale, ricevono un improvviso calo d'attenzione e, addirittura una decisa *damnatio capitis*, in corrispondenza dell'avvento del fascismo e del nuovo canone di bellezza maschile che esso trascinava con sé. Più forte si fa sentire però la deflagrazione, senza ritorno, delle avanguardie artistiche degli anni dieci, venti e trenta che, in fotografia, trovò la propria sponda nel realismo americano e tedesco, in Dada e nel Surrealismo da cui ha preso le mosse l'analisi storica e teorica di Walter Benjamin.

A partire dagli anni sessanta del secolo XX, la critica, con Roland Barthes[95], ha iniziato una rivalutazione critica di Gloeden[96] che, insieme a quella di Plüschow, si è nel tempo sempre più intensificata nella nostra epoca postmoderna; la citazione, il rendering, la copia e la contaminazione[97] degli stili e dei generi, sono infatti divenuti l'epicentro creativo dell'arte attuale, in una rivalutazione dell'ultimo Ottocento cui si ricollega anche il nuovo interesse per l'arte neopompeiana.

Linee d'indirizzo della fotografia documentativa e 'documentaria' del Novecento; una sintesi estrema

A eccezione del ponte di paragone che, per le contaminazioni fra i generi, gli stili e l'uso di linguaggi fra loro diversi, possiamo istituire fra l'ultimo Ottocento e l'ultimo Novecento, i due secoli si presentano, in relazione all'immagine di Pompei, con coordinate fra loro decisamente divergenti già a partire dalla direzione di Vittorio Spinazzola (1910-1924) che segna un preciso cambiamento di rotta, nella misura in cui la nuova definizione o la nascita delle Soprintendenze, l'enorme mole della documentazione fotografica della Divisione di antichità e belle arti del Ministero dell'Istruzione pubblica insieme alla creazione di laboratori interni alle Soprintendenze archeologiche di Pompei[98] e Napoli e all'istituzione del Gabinetto Fotografico Nazionale[99] avviarono un colossale impegno degli organismi di tutela dello Stato[100], vòlto alla documentazione, all'inventariazione e alla catalogazione del nostro patrimonio storico-artistico, spesso stabilendo, come fu in particolare proprio per le fotografie archeologiche, nuovi criteri, conformi alle nuove strategie dello scavo orizzontale.

Queste traiettorie d'indirizzo erano comunque destinate a raggiungere una più matura espressione con le direzioni di Sogliano e Maiuri, importanti momenti della documentazione pompeiana, su cui mi è lecito sorvolare perché penso che saranno studiati dai funzionari della Soprintendenza che, non solo sono archeologi, ma dispongono anche di un'approfondita conoscenza dell'Archivio fotografico per l'implicita consultazione quotidiana di lavoro e di studio delle immagini custodite.

Dal canto mio è piuttosto opportuno che sottolinei come l'intento della catalogazione abbia privilegiato quell'aspetto della definizione di 'stile documentario', formulato da Lugon, che punta l'accento sulla neutralità e sull'impersonalità dello sguardo, facendo leva soprattutto sugli aspetti referenziali e documentativi della fotografia, ossia trascurando tutte quelle altre valenze che, come abbiamo visto, viaggiano come seconda pelle dell'immagine fotografica del professionismo e della fotografia pittorialista dell'Ottocento e che lo stesso Lugon ha individuato come caratteristica portante dell'opera di August Sander, massimo rappresentante della fotografia da lui definita 'documentaria'.

La complessità della definizione lugoniana focalizza quel divario interpretativo e concettuale che l'accelerazione delle trasformazioni sociali, estetiche e della comunicazione degli ultimi trent'anni di questa nostra epoca postmoderna e postindustriale ha ulteriormente complicato, impedendo di apprezzare, come canali e criteri di lettura privilegiati e di rilievo, le istanze della tutela e con esse quelle di una documentazione, all'apparenza muta, impersonale e poco consapevole di sé.

Basti ricordare come la fotografia, ancora alla ricerca di un proprio statuto nel corso dell'Ottocento, sia divenuta tecnica artistica o, più sinteticamente, arte dei nostri giorni e come non sia più possibile operare precisi distinguo fra documentazione e creatività fotografica, in quanto il concetto di immagine o di 'opera' postula, apoditticamente, la necessità, come per la pittura anche per la fotografia, di parlare in tutti i casi di 'autore', secondo un parallelismo che, prima della fotografia, avrebbe reso inammissibile pensare a un pittore realista al di fuori del sistema dell'arte.

Operando una notevole forzatura critica e nella consapevolezza dello scarto epistemologico appena marcato, possiamo comunque individuare, nella fotografia pompeiana di documentazione del secolo da poco trascorso, due correnti solo apparentemente antagoniste: quella della documentazione – nell'accezione documentativa e non 'documentaria' – che arriva agli anni ottanta, e quella a noi più prossima in cui la consapevolezza estetica è così forte che sarebbe impossibile ignorarla, tanto più che alcuni lavori fotografici – penso al principe Francesco Chigi, a Luciano Morpurgo[101] e soprattutto a Giulio Parisio – l'avevano già ampiamente indicata, almeno a livello testimoniale.

In estrema sintesi e per meglio visualizzare questa duplice traiettoria d'indirizzo, mi sono avvalsa soltanto delle immagini di pochissimi autori, non certo per un giudizio di merito, ma unicamente per una necessità di sintesi e di chiarezza teorica che mi sembra non richiedano l'esaustività di un'analisi particolareggiata.

Sul piano dell'uso della fotografia come linguaggio artistico – fotografando le antichità di Roma, piuttosto che di Pompei – si è precocemente sperimentata, già nel biennio 1931-1932, Florence Henri che, ispirandosi alla matrice surreale e metafisica di alcune immagini di Eugène Atget, aveva precocemente promosso l'autoreferenzialità della fotografia, soprattutto, grazie al fotomontaggio, lavorando sul segmento iconico e sulla possibilità, a seconda del suo utilizzo, di "scatenare effetti narrativi [e simbolici] complessi in contesti diversi e entro storie differenti"[102].

Sul versante opposto, se è vero che il catastrofismo delle fotografie scattate all'indomani dei bombardamenti che colpirono Pompei nel 1943 si basa su un'inclinazione apparentemente solo documentaristica, possiamo ugualmente apprezzare in filigrana l'innegabile sentimento di un destino che si ripete, nel sovrapporsi del disastro determinato dall'uomo e legato alla guerra, a quello iniquo dell'antica calamità naturale dell'eruzione del 79 d.C.

Questa vocazione testimoniale sembra scomparire però in altre immagini coeve; non si può certo negare, infatti, la prevalenza del voluto ed esplicito documentarismo di molte fotografie della

Soprintendenza di Pompei, eseguite per controllare lo stato di conservazione dei monumenti; per visualizzarne i restauri e la manutenzione; per presentare crolli; per mostrare l'impiego di materiali, diversi nel tempo, negli interventi di consolidamento preventivo; per aggiornare la conoscenza dell'antica città, man mano che gli scavi andavano avanzando nel corso degli anni; per favorire lo studio e la riflessione archeologica.

Parallelamente, però, diverse iniziative locali, legate alla tutela, hanno elaborato letture 'documentarie' di notevole forza che, nel tempo, hanno affiancato il lavoro documentativo e di vasto respiro, promosso dalle istituzioni con una punta massima d'impegno raggiunta, nel 1980[103], nella mostra *Pompei 1748-1980. I tempi della documentazione*, dovuta alla collaborazione fra l'Istituto Centrale per il Catalogo e la Documentazione, la Soprintendenza archeologica delle province di Napoli e Caserta e la Soprintendenza archeologica di Roma, in un nutrito e capillare regesto dei monumenti, degli affreschi e delle strutture murarie di Pompei che ha definitivamente sostituito al concetto di pezzo 'bello' e pregiato degli scavi settecenteschi – e, in parte, della fotografia professionale dell'Ottocento – quello di un'indagine 'a tappeto', interessata non solo alla grande architettura civile e religiosa, ma anche agli aspetti minori dell'arte, alle strutture murarie e agli oggetti d'uso.

È interessante notare come quella campagna, ormai lontana, riportasse nell'ultima pagina del relativo catalogo, i nomi dei fotografi, tutti interni all'Amministrazione pubblica – i magnifici Quaresima, Venditti, Alivernini, Blasio, Mozzano, Roggero e tanti altri – che avevano eseguito materialmente gli scatti, quasi a sottolineare uno slittamento epocale nei confronti del riconoscimento dell'autorialità fotografica che proprio nel campo della ripresa delle opere d'arte è stata particolarmente lenta ad affermarsi, perché più di altre legata, nel giudizio più diffuso, all'ambito indicale di una fedeltà realistica, assoluta e insuperabile.

I tempi erano infatti ormai divenuti maturi; l'anno successivo, nel 1981, Luigi Ghirri[104] ha letto numerose statue del Museo Archeologico con uno sguardo decisamente autoriale; dopo pochi scatti dell'anno precedente, a lui è seguito Mimmo Jodice che ha dedicato all'Antico campano[105], dentro e fuori il Museo, strepitose immagini che l'irrealtà del bianco/nero sublimano nell'astrazione del sogno e della memoria che fa da protagonista nelle fotografie di Marialba Russo (1993) riprese a Roma e nella Campagna romana, nell'intensa essenzialità di paesaggi fatti di pochi segni e apparizioni improvvise, trasfigurati dalla luce e dall'uso di un chiaroscuro che, senza rinunziare al bianco puro e al nero più intenso, accarezza o taglia le forme, attraverso tutte le possibili variazioni tonali dei grigi[106].

È sempre il paesaggio, quello pompeiano, che ci stupisce per la qualità significante, con cui Cristina Omenetto (1998-1999), gioca, fra citazione della mimesi e del carattere scientifico del panorama sette-ottocentesco e restituzione emozionale dell'occhio che, grazie alla ripresa grandangolare della camera adoperata, una semplice Holga, spazia, sobbalza e gioiosamente si espande nella contemplazione della scena osservata; l'enfatizzazione dei difetti tecnici tipici dello strumento utilizzato, il trascinamento della pellicola, la voluta imprecisione iconica che ne deriva creano un effetto di straniamento capace di declinare insieme passato e presente, di attraversare la storia e il suo percorso, di coinvolgerci emotivamente e razionalmente, suggerendoci un eterno e ciclico attraversamento della morte per rifondare la vita[107].

Più recente (2002) è la serie fotografica che Sergio Riccio ha dedicato al Vesuvio[108] che già nel corso dell'Ottocento aveva costituito lo scenario classico della fotografia pompeiana, splendido fondale naturalistico, simbolo paesaggistico della mediterraneità, ma anche presenza estremamente pericolosa e inquietante per la sua latente potenzialità eruttiva e distruttiva che le rovine di Pompei testimoniano a tutt'oggi. Le sue riprese dalla città romana verso il Vesuvio, pur riallacciandosi volutamente alla tradizione, con le occhiate sghembe e trasversali che ne caratterizzano la sintassi e l'approccio, trascendono la realtà osservata con un marcato balzo autoreferenziale, affidato soprattutto ai toni bassi del forte contrasto chiaroscurale che da sempre ha costituito uno dei tratti portanti dell'impegno estetico del fotografo.

Infine, è impossibile non menzionare l'ultimo, straordinario lavoro di Luca Campigotto, *Roma. Un impero alle origini dell'Europa* (2015)[109] che, per le sue evocazioni, per l'idea di viaggio come metafora del tempo, della conoscenza soggettiva, della storia e del suo attraversamento emotivo, mi sembra – ma forse mi illudo – possa essere accostato alle idee di immagine che Pompei condensa in sé e che questo mio scritto ha tentato di suggerire.

Roma, l'Impero e i suoi centri più famosi per le proprie rovine – e fra questi Pompei – trovano significazione in un pacato, sommesso, intimo e mai gridato chiaroscuro, articolato in inediti notturni che allontanano i referenti in una sospensione atemporale, in cui passato e presente si fondono e si sovrappongono fra loro in attesa del futuro, testimoni della magnificenza imperitura ed eterna della romanità e dell'Antico. Le luci un po' fredde, se non algide, delle più che frequenti illuminazioni artificiali si muovono fra il vedo e non vedo, fra realtà e sogno, nella contemplazione stupefatta e ammirata di una bellezza che è diventata per noi Bello assoluto o, quanto meno, Bello per antonomasia, matrice della nostra storia civile e della cultura di noi europei.

Per Pompei Campigotto ha però scelto di realizzare in pieno giorno le sue riprese, penso, più che come rinvio alla mediterraneità, per una questione di misurazione del tempo, meglio, di raffronto fra la durata eterna e siderale del movimento del sole e l'effimera caducità di quei particolari momenti in cui la realtà, grazie alla luce e alle variazioni chiaroscurali e cromatiche che ne derivano, filtrata dallo sguardo del fotografo, si trasforma in un'immagine fulminante e rivelatrice, capace di alludere all'Antico come a una presenza ancora oggi viva e palpitante.

1> Rinvio gli studiosi di fotografia allo straordinario repertorio bibliografico e iconografico (con notizie relative anche ai professionisti e agli atelier dell'Ottocento), d'argomento archeologico, raccolto da García y García 1998; faccio, inoltre, riferimento a *Da palazzo degli studi*...1977, di cui mi sono ampiamente avvalsa.
2> A testimonianza di quest'aspetto emotivo, all'epoca particolarmente ricorrente, facendo leva sulla funzione documentativa della fotografia e sulla sua capacità di favorire la memoria storica, il quindicinale parigino "La Lumière" pubblica nel 1856 un lungo editoriale di Ernest Lacan in cui il famoso critico, commentando le fotografie stereoscopiche di Grlliez [*sic*], le riconnette alla coeva produzione artistica, soprattutto letteraria, quale sentita e diffusa testimonianza di un sentimento che appunto nell'arte si riconosce e trova la propria espressione; cfr. Lacan 1856, pp. 71-72.
3> D'Alconzo 1999, pp. 123-141; D'Alconzo 2001, pp. 531-535; Milanese 2013.
4> *Maestà di Roma* 2003.
5> Questo contributo, inizialmente, avrebbe dovuto fermarsi proprio agli anni della direzione Spinazzola ed è stata la mia adesione, anche se molto titubante, a una richiesta dell'Editore di spingerlo in avanti fino ai nostri giorni.
6> *Excursions daguerriennes* 1841-1843. Qui come altrove, la vasta bibliografia dedicata all'argomento (generale e particolare), mi induce, per non appesantire le note, a fare riferimento in linea di massima ai contributi effettivamente utilizzati, soprattutto perché più recenti, con l'implicito invito al lettore che lo desideri di rapportarsi, per una bibliografia piu completa, ai testi citati e alle informazioni ivi contenute; nel caso specifico mi riferisco a: *L'Italia d'argento*... 2003; *Le daguerréotype français*... 2003. In particolare rinvio per la qualità del contributo e per la cura filologica e scientifica delle note a Bonetti 2003, pp. 31-40.
7> Dette opere sono oggi vanto del National Media Museum (NMM) di Bradford. Per notizie più dettagliate e per la bibliografia precedente rinvio a *L'Italia d'argento*..., pp. 263-265.

8> Il termine è un riferimento, forse pleonastico, alla triade peirciana di 'indice', 'icona' e 'simbolo' per cui rinvio a Peirce 1980.
9> Fusco 1982, pp. 753-801.
10> Costantini 1986, pp. 10-20.
11> Costantini 1985, pp. 12-29; rinvio anche, sempre per le differenze fra Ellis e i suoi precedenti, a Bonetti 2003.
12> Un flusso numericamente rilevante di viaggiatori inglesi, che comincia a rompere la tradizione esclusivamente aristocratica del *Grand Tour* settecentesco, era andato verificandosi nei decenni successivi al Congresso di Vienna (1815), interrompendo così "il lungo periodo di isolamento che aveva subito l'Inghilterra negli anni che vanno dalla Rivoluzione francese alla caduta dell'Impero napoleonico": in Tomassini 1989, pp. 17-27.
13> Rinvio a Enrico Colle (1997) non solo per ciò che riguarda la produzione scientifica e illustrata inglese, ma anche per quella dell'intera area europea degli interessi – antiquari e della più varia natura – per Ercolano e Pompei, intesi, in epoca neoclassica, quali fonti dell'attività ornatistica di numerose dimore italiane e, più in generale, del nostro continente.
14> Per l'attività, per la biografia e la bibliografia dei due autori appena citati – così come per Stefano Lecchi, per James Graham e gli altri calotipisti francesi e no, che fotografarono Pompei negli anni cinquanta – rinvio alle relative schede, contenute in: *Éloge du négatif*... 2010, pp. 217-237 e *Primitifs*... 2010 (*ad vocem*). Vedi pure Bonetti, *Talbot*... 2010, pp. 25-35.
15> *Stefano Lecchi* 2001 e bibliografia ivi citata.
16> Colgo l'occasione per ringraziare vivamente Ruggero Pini per aver voluto, con rapido e generoso slancio, concedere la sua adesione alla pubblicazione della fotografia di Lecchi. Per ciò che concerne l'immagine del Getty Research Institute, raffigurante la Casa del Fornaio (firmata e datata 1846 sul verso; inv. GRI, 2002.R.45*, fol. 38), essa fa parte dell'album con quarantuno carte salate dal titolo *Fotografi di Roma 1849* tutto di mano di Lecchi. Cfr. Paoli, in *Éloge* 2010, p. 227; Bonetti 2010, pp. 34-35. n. 44.
17> Fausto Niccolini, Felice Niccolini, A. junior Niccolini, *Le case ed i monumenti di Pompei*... 1854-1896.

18> Cfr. la nota 14 e quella qui a seguire; vedi pure *Fotografi a Pompei* 1990.
19> Nel marzo del 1855 i sigg. Bennett e Bulwer sono autorizzati a riprendere col "dagherrotipo" gli scavi di Pompei; cfr. Archivio storico della Soprintendenza archeologica di Napoli (d'ora in poi, ASSAN), XIII B9, 10, 1855. Precedentemente, nel 1854, i documenti ASSAN (XIII B9, 10), usando ancora il termine "dagherrotipo", riportano le richieste e i relativi permessi a: Wells (nel mese di febbraio per Pompei, Ercolano e Paestum), a Leopoldo James (in aprile per Pompei ed Ercolano), a Vincenzo Ferreri e a Giulio Leandro (a ottobre per Pompei). I documenti dell'ASSAN, nel biennio 1859-1860, riportano le medesime domande e relativi permessi di quelli consultati all'Archivio di Stato di Napoli, più oltre riportati alla nota 22; fa eccezione il caso del calotipista Gustavo Beaucorps (*Éloge* 2010, p. 217) che fotografò Paestum nel gennaio 1860. Qui come altrove, devo alla generosa collaborazione di Andrea Milanese, tutte le notizie desunte da ASSAN.
20> *Italien* 1994, figg. 60-61; pp. 263-264; 278.
21> Cfr. ASSAN, XIII B9, 10, 1855. Del medesimo anno sono le richieste di Felice Ricca, del Cav. Brunn cui segue, nel dicembre, il real rescritto che proibisce, in linea di massima, di ritrarre in fotografia i monumenti di Pompei ed Ercolano e le opere del Museo (XIII B9, 12. 1855), divieto che impedisce a Piot le riprese, del Foro Triangolare e della Casa del Fauno, che avrebbe voluto effettuare (*ibid.* 21 giugno 1856).
22> Durante il suo soggiorno napoletano, Gabriel de Rumine lavorò anche al Museo dove scattò un'intensa immagine dell'Ercole Farnese (del Pesco 1981, p. 68, fig. VI). Oltre alla bibliografia già citata (nota 14), rinvio a: *Regards* 1990, s.p.; *Un invention du* 1977, pp. 34-35. Fra gli autori che fotografarono Pompei, dopo aver richiesto e ottenuto il permesso relativo, il caso di Gabriel de Rumine (26/3/1859) è uno dei primi, successivo soltanto a quelli più precoci di Claudio Grillet (25/1/1858. "Vedutine" stereoscopiche), di Roberto Rive di Breslavia (20/1/58; 12/5/1859. Casa del Fauno, della Suonatrice, vedute del Foro e dei Teatri, Tempio di Iside) e alla

prima istanza Graham (11/11/1859). Sono successive, tutte del 1860, le domande di: James Graham (18/2/1860. Foro, Basilica, Tempio di Venere e di Iside, Teatri, Anfiteatro, Strada delle Tombe, Case del Fauno, delle Suonatrici, di Pansa e di Diomede, della Gran Fontana, del Forno e dei Bagni pubblici, del Quartiere dei soldati e del Foro triangolare), H.J. Gascoigne (24/2/1860. Foro, Strada del Foro, Basilica, Anfiteatro, Templi di Venere e di Iside, Strada delle Tombe, Pantheon), Guglielmo Bircham e Tomaso Gill (3/4/1860. Forni e Mulini, Sedile di Mamia, Fontana, Anfiteatro), Lorenzo Iggulden (4/4/1860). Casa di Diomede, di Pansa, di Sallustio del Poeta tragico, Porta Ercolano, Pantheon, Basilica, Strade dell'Abbondanza e dei Sepolcri, Templi di Iside, di Esculapio, di Mercurio, della Fortuna, di Venere, Quartiere dei soldati, Bivio, Foro, Passeggio pubblico, Teatro grande e piccolo, Anfiteatro), Giorgio Sommer (17/4/1860), H.J. Gascoigne (24/2/1860. Foro, Strada del Foro, Basilica, Anfiteatro, Templi di Venere e di Iside, Strada delle Tombe, Pantheon), Eugène Sevaistre (26/4/1860), Leone Renier (27/5/1860), Giorgio H. Bixley (21/5/1860), F. Chacteris e M.S. Renouver (5/7/1860), Alfonso Bernoud (30/9/1859). Preciso di aver riportato, per il biennio 1858-1859, le più precoci richieste dei fotografi appena citati; qui come altrove, per i medesimi anni, tutte le notizie sono dell'Archivio di Stato di Napoli, Ministero della Pubblica Istruzione, primo versamento, busta 347, I, fasc. 8 e mi sono state generosamente trasmesse dalla dottoressa Grete Stefani che qui sentitamente, nuovamente ringrazio.

23> Oltre ai già citati *Éloge du négatif...* 2010 e a *Primitifs...* 2010, p. 298, rinvio al più precoce studio dedicato alle fotografie dell'autore, ossia *Alfred-Nicolas Normand* s.l., s.d. [1978].

24> *Éloge...*, p. 229.

25> Cfr. Sisi 2007, pp. 138-157 (p. 138).

26> Attivo già dalle origini, Richebourg era stato allievo di Daguerre e del famoso ottico parigino Vincent Chevalier. Cfr. le schede di M.F. Bonetti (in *L'Italia d'argento* 2003, p. 245) relative a tre immagini romane; vedi, per maggiori notizie, Buerger 1989, p. 61.

27> Milanese 2013, pp. 34-390 (p. 39).

28> Milanese 2013, p. 35.

29> È ben nota la collaborazione di Adolf von Hildebrand agli affreschi realizzati da Marées alla Stazione zoologica di Napoli; rinvio a *Hans von Marées* 2008; in particolare, per i rapporti pittura-fotografia, a U. Pohlmann, *"Sehen lernen ist Alles"*, pp. 222-235.

30> *Sir Lawrence Alma-Tadema* 1996; in particolare, U. Pohlmann[a] 1996, pp. 111-125; *Alma-Tadema* 2007.

31> *Franz von Stuck und die Photographie* 1996; in particolare: U. Pohlmann[b] 1996, «Als hätte er sich selbst entworfen», pp. 27-37. Rinvio anche a: *Franz von Stuck und die Münchner Akademie...* 1990.

32> *I "Deutsch-Römer"* 1988.

33> Poiché sono omesse, a corredo del volume, le biografie dei fotografi, qui come altrove rinvio, per chi volesse approfondire questo aspetto filologico della ricerca, alle recenti e ricche raccolte iconografiche, nonché sintesi bibliografiche di Giovanni Fanelli che si è interessato di Sommer, Bernoud, e Rive (Fanelli con Mazza 2010; Fanelli, Mazza 2012; Fanelli 2007). Hanno rivolto inoltre la propria attenzione ai fotografi sopra menzionati E. De Carolis (De Carolis 2013) e C. Gelao (*Achille Mauri* 2009). Per il quadro generale della fotografia napoletana, riferimento imprescindibile è da considerare *Napoli nelle collezioni Alinari...* 1981, ma si veda pure *Napoli in posa 1850-1910...* 1989; per Pompei rinvio, invece, a *Fotografi a Pompei...* 1990. Un'importante notizia, su comunicazione orale di Ulrich Pohlmann, ci viene fornita da Monica Maffioli (Maffioli 2014) che colloca la data di morte di Robert Rive al 1868, anno in cui il fratello Julius Otto ne preleva l'atelier e – senza modificarne la primitiva testata – affianca alla ristampa delle fotografie di Robert una propria attività, interrotta alla morte nel 1888. Conosciamo (Fondo Ministero della Pubblica Istruzione dell'Istituto Centrale per il Catalogo e la Documentazione) numerose fotografie con la firma Rive che non possono essere né di Robert né di suo fratello, perché gli scatti risalgono a una data troppo tarda (1895); bisogna pensare allora che il prestigio del nome sia stato usato come garanzia di qualità e d'impegno da parte di un fotografo della generazione successiva che, forse, aveva anche acquistato il primitivo archivio Rive. Per Sommer si veda *Un viaggio fra mito e realtà...* 1992 (bibl. e fonti ivi citate).

34> *Real Museo Borbonico* 1824-1857.

35> Fausto Niccolini, Felice Niccolini, A. junior Niccolini, *Le case ed i monumenti di Pompei...* 1854-1896.

36> Mazois 1812-1838; per i repertori settecenteschi, rinvio, inoltre, al già citato Colle 1997.

37> *Roma 1850*, 2003.

38> *Gustave Le Gray* 2002.

39> Il permesso relativo, sulla base di una precisa turnazione mensile dei diversi fotografi che ne avessero presentato domanda, era facilmente concesso, semplicemente sottoscrivendo un modulo prestampato, contenente le normative allora vigenti (Archivio Centrale dello Stato – d'ora in poi ACS, AA. BB. AA. – primo versamento, 1864-1885, busta 252, allegato al fasc. 119/2). Per il regesto completo dei documenti consultati cfr. Musacchio, 1994, pp. 191-192, 528.

40> Molto citato dalle fonti contemporanee, noto soprattutto per le vedute di Parigi e della foresta di Fontainebleau, a lui non sono stati dedicati studi monografici; per la bibliografia e per le notizie finora pubblicate, si rinvia a *After Daguerre* 1980, p. 154.

41> Milanese 2009.

42> Grillet aveva realizzato infatti – presumibilmente già nel corso del 1858 – le illustrazioni fotografiche del libro *Di alcune opere scolpite da Sua Altezza Reale il Conte di Siracusa* (1859), guadagnandosi, per la qualità del lavoro, un certo credito di benevolenza presso l'augusto artista; cfr. Pinto 1982, fig. 934. La precocità dell'attività fotografica di Claudio Grillet è ribadita dall'autorizzazione concessa al fotografo per riprendere i monumenti editi di Pompei, negli anni 1854 e 1859; la notizia si ricava dall'ASSAM, XIX B2, 4.11; XIX B2, 4.8.

43> Il documento (Archivio di Stato di Napoli, busta 347, I, fasc. 8, sottofasc. 16), vero e proprio riassunto dei permessi già concessi, omette di riportare quello rilasciato, su istanza del "sig. Enrico Elliot, ministro plenipotenziario di S.M. Britannica", a James Graham in data 18 febbraio 1860.

44> Sommer, in autunno ancora a Pompei, riprese un gruppo con Garibaldi in visita agli Scavi il 25 settembre, in un'immagine piuttosto nota che, per tutti gli anni sessanta, fu distribuita da Detken, senza indicazione dell'autore e solo più tardi venduta da Sommer stesso con il proprio monogramma. La notizia è data da "Il Pungolo" del 21 dicembre 1860 in un trafiletto per la prima volta trascritto dal del Pesco 1981, p. 74 e n. 57, p. 99.

45> Sommer, elencando le prime quarantaquattro vedute per cui avanza la propria richiesta, aggiunge infatti, accanto a ogni soggetto, il numero delle riprese che intende dedicare a ciascuno di essi, usando inoltre camere di diverso formato ('Grande', 'Mezzana', 'Album', 'Stereoscopica', 'Carte'; cfr. il doc. dell'Archivio di Stato di Napoli già citato e risalente al 17/4/1860); detto elenco comprende: Casa di Diomede, Strada dei Sepolcri (3 vedute), Porta di Ercolano, Forno, Casa di Sallustio, Tempio della Fortuna (2), Tempio di Giove (3), Tempio di Venere (3), Tempio di Mercurio (3), Pantheon, Teatro tragico (2), Tempio di Iside, Casa del Poeta, Casa del Fauno, Casa di Meleagro (2), Casa di Apollo (2), Casa della Suonatrice, Forum Civile (6), Basilique [sic], Quartiere dei soldati, Anfiteatro, Foro triangolo [sic], Strada di Mercurio, Strada di Mercurio verso porta Ercolano, tre vedute generali. Sulla base delle nuove normative del neonato Stato Italiano si impegnerà in seguito (diversi documenti dell'ACS, primo versamento, 1864/1890, fascicoli diversi), a consegnare, per ciascuno scatto – invece delle dieci copie cartonate dell'epoca borbonica – soltanto due, una delle quali destinata all'archivio di documentazione del "luogo di conservazione dell'oggetto fotografato", l'altro da inviare al Fondo Antichità e Belle Arti del Ministero dell'Istruzione Pubblica (con sede prima a Torino, poi a Firenze e infine a Roma). Questo importante fondo – specchio del corso della storia dell'arte, del trainante ruolo della tutela, della rilevante funzione documentativa della fotografia e della centralità scientifica dei funzionari statali in detti ambiti – è attualmente in corso di inventariazione, di recupero conservativo e di studio presso l'Istituto Centrale per il Catalogo e la Documentazione cui è stato assegnato dall'atto di nascita del Ministero per i Beni Culturali e ambientali; ringrazio Elena Berardi per aver agevolato in tutti i modi la mia ricerca. Per un primo risultato del vasto lavoro intrapreso, rinvio a *Fotografare le Belle arti...* 2013. Per quanto riguarda le copie destinate al "luogo di conservazione dell'oggetto fotografato" sono gli archivi fotografici della Soprintendenza archeologica di Napoli – e quella di Pompei – che le detengono, ma per il momento, almeno a Napoli, non sono state ancora programmate particolari misure di tutela. Grazie alla generosa disponibilità di Alessandra Villone – che vivamente ringrazio – i materiali consultati in occasione di questo lavoro hanno comunque consentito di recuperare, o precisare attraverso i timbri di responsabilità, i nomi di numerosi fotografi, attivi prevalentemente all'epoca di Fiorelli, ricordati anche dalle fonti archivistiche, e cioè: Luigi Bardari (Largo Rosario di Palazzo N. 10), Michele Busco (S. Carlo 12. Napoli), Cesare Faraglia (Via Messina 14. Fuori Porta Pia. Roma), Angelo Fiorani (Pompei), Fiorillo, Fotografia del Campidoglio (Napoli. 4 vico Canalone a Forcella), Fotografia Giuseppe Colombo (vico SS. Filippo e Giacomo 26. Napoli), Fotografia Ercolana, Fotografia V. Del Santo e C. (via Cirillo a Foria 46. Napoli), Fotografia Luigi Loso (St. Taverna Penta a Toledo 10. Napoli), Achille Mauri e Mauro Eufrasio, Mariano Ruggiano (Duomo 33), Baldassarre Marino, Arnaldo Panico, F.do Romano (via Roma già Toledo n. 418. Napoli), Achille Scarano, A. Stavole. Importanti le fotografie cartonate di Giorgio Sommer con le impronte umane del 1863 e del 1868 e, ancor più, l'album – numerato, montato e titolato dallo stesso fotografo ("POMPEI/CASA DEI VETTII") – con 64 albumine e, ancora, fuori dall'Ottocento, uno splendido album di Giulio Parisio con un'unica fotografia di Pompei. Segnalo inoltre di non aver individuato fotografie pompeiane di Achille Mauri che, in qualità di proprietario dell'archivio di Bernoud, non avendo la necessità di attivarsi nella città vesuviana, lavorò invece al Museo, ai suoi allestimenti e alle opere ivi conservate, con notevole qualità e continuità temporale.

46> *Un inglese a Roma...* 1989; Parker 1879.

47> Il primo catalogo a stampa del fotografo, comprendente le fotografie di Pompei, risale al 1873, data di trasferimento dell'atelier da Salita Monte di Dio a Piazza della Vittoria, palazzo proprio; perduta l'unica copia nota di una pubblica biblioteca (Biblioteca Nazionale di Firenze) nell'alluvione fiorentina del 1996, si può disporre oggi di quella delle Collezioni Alinari, facente parte dell'acquisto Palazzoli, purtroppo di difficile accesso. Rinviando dunque a Milanese 2009, p. 202, fornisco qui l'elenco dei cataloghi personalmente studiati, espungendo quelli che non si riferiscono al nostro argomento: *Giorgio*

Sommer 1886; *Giorgio Sommer* 1891; *Giorgio Sommer* 1 post 1908; *Giorgio Sommer* 2 post 1908.

48> Barroero 2003, pp. 207-222.

49> La stampa francese (*Exposition Universelle* 1873) segnala il fotografo come residente a Lione, rue des Arches, nel 1873, notizia confermata da un annunzio di Mauri (*Avviso*, apparso sul quotidiano "Roma" del 30 settembre 1876) che, nel 1876, si dice successore di Bernoud e proprietario del suo archivio da tre anni.

50> *Napoli nelle collezioni Alinari* 1981.

51> Trascrivo qui di seguito, in ordine alfabetico, e non cronologico, il nome degli autori che presentarono domanda per lavorare agli Scavi e al Museo a partire dagli anni settanta, rinviando complessivamente solo al già citato Musacchio: Agazio; Bardani (o Bardari) Luigi; Bert Paolo (dilettante); Busco Michele; Colombo Giuseppe; Conrad [senza specifica del nome]; Del Monaco Domenico, proprietario della Fotografia del Campidoglio; De Pio Cesari (Ditta); De Santo Vincenzo; Fiorani Angelo; Fiorani Francesco; Fiorillo [senza specifica del nome]; Fornari; Fotografia Pompeiana di Artidoro Rollin; Guida [senza specifica del nome]; Langer Giuseppe (nato in Moravia, attivo a Cava dei Tirreni - SA); Lombardi Ferdinando; Losa (o Losi) Luigi; Maiolino (o Majolino) L.; Marino Baldassarre, fu Gaetano, domiciliato S. Carlo delle Mortelle n. 16. Napoli; Mauri Eufrasio; Panico Arnaldo; Pesce Ettore; Romano Ferdinando; Ruggiano Mariano; Scarano Achille; Stavole A.; Weintraub Guglielmo. Si fa presente che le incertezze segnalate sono in gran parte dovute a disomogenee versioni delle fonti.

52> La prima richiesta Alinari, articolata e culturalmente ben sostenuta, risale al 1864 (ACS, AA. BB. AA., primo versamento 1864-1889, busta 252, fasc. 119/2), ma le sole consegne verificate nei documenti consultati risalgono al 1883 (*Ibid.*, busta 56, fasc. 180/8), mentre già il catalogo a stampa del 1873 riporta la documentazione storico-artistica di Napoli e Pompei; cfr. *Catalogo* 1873; *Campania* 1896. Vedi pure Milanese 2009, p. 202.

53> La prima richiesta Brogi, esosa, un po' provocatoria e alquanto cavillosa, è del 1879 (ACS, AA. BB. AA., primo versamento, busta 252, fasc. 119/6); seguono le consegne (20 fotografie) del 1880 (*Ibid.*, busta 56, fasc. 80/6) e del 1882 (busta 252, fasc. 119/6); la pubblicazione relativa appare, per la prima volta, nel catalogo a stampa del 1889 (*Catalogo* 1889); cfr. pure Milanese 2009, p. 202. In linea di massima, possiamo osservare come le fotografie Brogi, Alinari e Anderson tendano a coprire soggetti e argomenti lasciati al di fuori dalle precedenti investigazioni, in particolare la decorazione pittorica, resa più attendibile, nei valori chiaroscurali, dai nuovi composti fotografici ortocromatici. Un altro fattore tecnico determinante,

ossia l'accesso a tempi espositivi più brevi, consentì inoltre a Brogi alcune intense vedute animate, riprese durante i cantieri degli scavi nuovi del 1895.

54> Di Vasari possediamo l'intero fondo storico, prevalentemente costituito da negativi su vetro 21x27 ma anche da altri formati minori, oggi conservate nelle Collezioni dell'Istituto Centrale per la Grafica (ICG). Per quanto riguarda Pompei e il Museo Archeologico, i negativi sono collodi piuttosto precoci di difficile, pur se non impossibile, attribuzione al fondatore della casa, Cesare, che nel 1860, data dichiarata come inizio dell'attività della Ditta, aveva appena quattordici anni. È pur vero che il collodio è stato usato ancora per tutti gli anni settanta e anche oltre, ma rimane il dubbio che la produzione riguardante Napoli e Pompei, per la qualità e il numero delle fotografie, spetti piuttosto a un autore maturo e più precoce, forse napoletano, e solo più tardi acquistata da Vasari, così come è avvenuto nei casi di Bernoud/Mauri e di Chauffourier/Simelli e De Bonis; si ricorda che i costumi napoletani del fondo Vasari sono in effetti di autori anni sessanta/settanta come Bernoud, Giorgio Conrad e Sommer. Cfr. Vasari, *Catalogo* [1910]; vedi Miraglia*ᵃ* 1985. Ringrazio Marla Antonietta Monarca per l'aiuto accordatomi durante le mie ricerche all'ICG.

55> Cavazza 1977; Michele Falzone del Barbarò (Falzone del Barbarò 1980), nella vita del fotografo, menziona un permesso concesso a Chauffourier dalla Soprintendenza Archeologica di Pompei e Napoli il 9 dicembre 1870; personalmente non ho trovato riscontro di detto permesso nello spoglio dei documenti, effettuato all'Archivio Centrale dello Stato. Malgrado, per il lungo soggiorno napoletano, la notizia non sia priva di fondamento, tuttavia molte immagini che fino a tempi recenti hanno viaggiato con il suo nome, sono state recentemente riviste dagli studiosi; in particolare Maria Francesca Bonetti ha individuato nel Fondo Chauffourier dell'Archivio del Comune di Roma (che comprende però solo immagini romane) la responsabilità autoriale di almeno altri due fotografi, Carlo Baldassarre Simelli e Adriano De Bonis. Nel nostro caso, per la fotografia che raffigura le Terme Stabiane, nutro seri dubbi che in effetti lo scatto sia di Luigi Loso (cfr. il Fondo Ministero della Pubblica Istruzione dell'Istituto Centrale per il Catalogo e la Documentazione, inv. 326048).

56> Per una breve nota biografica e la relativa bibliografia, vedi Miraglia 2008, p. 90 e ss.

57> Peirce 1980.

58> *Windows and mirrors* 1978.

59> Lugon 2008.

60> Conticello 1990, p. 7.

61> Selvatico Estense 1852, pp. 7-31. Si fa presente che in alcune biografie (Treccani) il nome dell'autore è dato nella variante di Estense Selvatico.

62> Cassanelli 1996, pp. 31-38.

63> Documento del 25 ottobre 1878,

ACS, AA. BB. AA., primo versamento, busta 252, fasc. 119/1.

64> *Ibid.*

65> Documento de 28 luglio 1879, ACS, AA. BB. AA., primo versamento, busta 244, fasc. 34.

66> Documento del 14 ottobre 1881, ACS, AA. BB. AA., primo versamento, busta 252, fasc. 119/5;

67> *I Macchiaioli e la fotografia* 2008; in particolare M. Maffioli, pp. 36-59; S. Balloni, pp. 16-31; 32-35.

68> Per l'individuazione di questi artisti e per maggiori ragguagli su di essi, rinvio a Bonetti 2008, p. 15; Jacobson 1996, p. 113; Heilbrun 2004, p. 19; Cavanna 2005, p. 50; *Roma 1840-1870*, 2008, pp. 143 ss.

69> Miraglia[b] 1985, *Ead.*, in Miraglia 2012, pp. 33-44.

70> Miraglia 1975; *Ead*, in Miraglia 2012, pp. 117-130 (e bibl. ivi citata).

71> Falzone del Barbarò, Tempesta 1979.

72> Franco 2004, pp. 29-37.

73> Miraglia 1993 (per Roesler Franz); *Ead.* 2005 (per Morelli); *Ead.* 1999 (per Cambellotti); *Ead.* in Miraglia 2012, per Morelli e Sartorio, rispettivamente alle pp. 83-100; 131-150.

74> ACS, AA. BB. AA. – primo versamento, busta 56, fasc. 80/10; disposizione del 4 novembre 1882, in base alla prima richiesta avanzata in tal senso da Baldassarre Marino.

75> Non conosco, e penso non si abbiano, notizie biografiche particolareggiate su questo prolifico autore di Boscoreale; molte immagini, da lui eseguite nel periodo indicato (1893-1903), riportano il seguente timbro: "FOTOGRAFIA ARTISTICA/P. ESPOSITO e F° ACHILLE/STRADA DI CHIAIA 123", ma come indicano le fotografie pubblicate, i due fotografi, ma forse il solo Pasquale, erano già attivi a partire dagli anni settanta. Ringrazio Grete Stefani per avermi mostrato il timbro sopra riportato; per ulteriori notizie rinvio a De Carolis 1999, pp. 23-30.

76> *I Macchiaioli e la fotografia* 2008.

77> Didi-Huberman 2007.

78> C. Del Balzo 1885; F. De Bourcard 1977 (I ediz. 1857).

79> *Giorgio Sommer* s.d. [post 1889 - ante 1899].

80> Fra le grandi medaglie del fotografo, quella guadagnata a Norimberga 1885 si riferisce alla sola attività di fonditore (cfr. *Unter* 1885).

81> *Guglielmo Plüschow* 1995; Miraglia 1988. Sui rapporti fotografia/pittura cfr. pure *Voir l'Italie* 2009; per il nudo maschile in fotografia rinvio a Pohlmann 2004.

82> Falzone del Barbarò, Miraglia, Mussa 1980.

83> Nipote di Quintino Sella, noto per le sue scalate e le fotografie d'alta montagna, nonché per il suo amore per il Cervino – ricordato in un libro di successo (Prada 1945) – Rey, particolarmente sensibile alla poesia e a ogni forma letteraria, fu legato da particolare amicizia a Edmondo De Amicis. Dopo la prima strepitosa accoglienza delle sue immagini pittorialiste, la *damnatio memoriae* di questa tendenza decretata dall'avvento della fotografia diretta, ha posto l'attività neopompeiana, il travestimento e l'*àpres* di Rey nel dimenticatoio; soltanto la critica a noi contemporanea va lentamente rivalutando il suo altissimo contributo pittorialista, senza però ricollegare gli attuali orientamenti critici ai fenomeni artistici postmoderni. Per le fonti e la più precoce bibliografia relativa a Rey, rinvio a *Guido Rey* 1986 e a Cassio 1990; più recente è il catalogo della mostra *Guido Rey* 2004. Ringrazio calorosamente la Fondazione Sella (Biella) per il determinante sostegno nell'individuazione delle immagini Rey; in particolare, il presidente, Lodovico Sella e Andrea Pivotto, prezioso collaboratore della mia ricerca.

84> In Cassio 1990, p. 413.

85> Cfr. nota 22.

86> Cfr. García y García 1998, vol. II, p. 857, nn. 9835-9839.

87> Calvino 1992 (I ed. 1972).

88> Didi-Huberman 2007.

89> Eco 2009 (I ed. 1962).

90> Barthes 1980.

91> Krauss 1996, pp. 28-49.

92> Calvino 1992, p. 365.

93> Wilhelm von Gloeden 2000.

94> Il fondo fotografico di Gino Coppedè è diviso fra Istituto Centrale per la Grafica e Archivio Fotografico Toscano, sede che detiene un cospicuo gruppo di immagini, prevalentemente di Plüschow, con sporadici e limitati casi di suo cugino Gloeden; si veda Miraglia 1988. Anche il fondo fotografico di Duilio Cambellotti è conservato nelle Collezioni dell'Istituto Centrale per la Grafica. Nelle recenti ricerche iconografiche, condotte per questo lavoro, grazie ai suggerimenti di Andrea Milanese, sono venuta a conoscenza (presso l'Institut National d'Histoire de l'Art, Parigi) di un altro illustre collezionista di Plüschow, Pierre Gusman, illustratore e pittore, allievo di Gustave Doré, storico delle arti decorative e delle antichità romane i cui studi su Pompei sono testimoniati da *Pompéi, la ville, le moeur, les arts* (Parigi 1899).

95> Wilhelm von Gloeden 1978.

96> Perna 2013. In questo recente volumetto, la studiosa ha, intelligentemente, ricollegato la fortuna e la sfortuna di Gloeden al giudizio critico, al gusto estetico e alle manifestazioni artistiche dei diversi periodi in cui l'opera del fotografo è stata letta e riletta dagli artisti e dalla critica.

97> *Rendering* 2010 (e bibl. ivi citata).

98> Conosciamo un illuminato e lungimirante progetto, datato 21 agosto 1857, avanzato da Raffaele Campanelli – "architetto di Casa Reale, incaricato dei R[i] Scavi di Pompei" – per l'istituzione di uno "Stabilimento fotografico in Pompei", ben articolato nello statuto fondativo, rimasto, però, lettera morta. Cfr. ASSAN, I B3, 8.11.

99> Il Gabinetto Fotografico Nazionale fu preposto alla documentazione del patrimonio "immobile e mobile esistente nel Regno e nelle colonie", come si legge nel R.D. n. 707 del 26 agosto 1907, ribadito poi dal R.D. n. 232 del 15 agosto 1913 e, ancora, dal R.D. n. 3164 del 31 gennaio 1923.

100> Un analogo cambiamento si verifica anche nelle strategie di base delle guide del Museo. In una mattinata di lavoro presso la biblioteca del Museo di Napoli, grazie all'esperienza di Maria Rosaria Esposito, che sentitamente ringrazio, ho potuto constatare, infatti, che la tipologia delle guide di Pompei dell'Ottocento cede il passo a nuovi criteri di esposizione critica e metodologica, con la pubblicazione, all'inizio del secolo successivo, di *Guida illustrata del Museo Nazionale di Napoli*, per cura di A. Ruesch, Napoli, Richter & Co, 1908, opera complessa e scarsamente illustrata, la cui novità consiste nell'essere una guida perfettamente istituzionale come dimostra l'*équipe* dei collaboratori, tutti illustri studiosi interni alla struttura del museo. In altri incontri con la dottoressa Esposito sono stata da lei favorita in mille modi, non solo materialmente, ma con preziosi consigli di lettura. Lo stesso posso dire di Andrea Milanese con cui spesso mi sono confrontata, meglio puntualizzando i miei percorsi di studio.

101> A Pompei, rispettivamente nell'aprile 1906 e fra il 1915 e il 1930. I loro fondi sono conservati all'Istituto Centrale per il Catalogo e la Documentazione.

102> Barbaro 1998, pp. 76-77 (p. 76).

103> *Pompei* 1981.

104> *Napoli '81* 1981

105> Mimmo Jodice 2010.

106> Russo 1993.

107> *A regola d'arte* 1999, pp. 47- 67; *Focus on Italy* 1999, pp. 16-17; *Monumentos* 2001, pp. 47-53; *Modena per la fotografia* 2003, pp. 180-183; *Espacio* 2003, p. 137; Lucas, Agliani 2004, p. 311; *Il paesaggio italiano* 2014, pp. 92-93.

108> Riccio 2002; Guzzo 2007, *passim*, fotografie a pagina intera, intercalate ai testi.

109> L. Zerbini (testi di), *Roma 2015*, figure pp. 254-255, 258-259, 266-267, 268-269. Qui, come altrove, per la biografia e la bibliografia, veramente molto estesa, dell'autore, rinvio al volume citato, presentato in Campidoglio nella giornata dell'appena trascorso 27 marzo, in concomitanza della mostra *Roma. L'impero per immagini. Fotografie di Luca Campigotto*, organizzata dall'Istituto Centrale per la Grafica in Palazzo Poli e accompagnata da un pieghevole/catalogo con uno scritto di Flaminio Gualdoni. I festeggiamenti in onore del fotografo si sono poi conclusi, in serata, con la mostra, a cura di Donatella Pistocchi, "Wildlands and Cityscapes", tenuta alla Galleria Il Cembalo (in collaborazione con Bugno Art Gallery), di Paola Stacchini Cavazza e Mario Peliti.

Bibliografia

Achille Mauri fotografo di sua maestà, catalogo della mostra a cura di C. Gelao, scritti di C. Gelao, S. Leonardi, D. Mormorio, Alinari 24 ore, Firenze 2009.

After Daguerre: Masterworks of French Photography (1848-1900) from the Bibliothèque nationale, catalogo della mostra a cura di B. Marbot, J. Naef Weston, Metropolitan Museum, New York 1980.

Alfred-Nicolas Normand. architecte. Photographies de 1851-1852, catalogo della mostra a cura della Direzione dei Musées de France, testi di A. Jammes, A. Coyla, P. Néagu, s.e., Paris s.d. [1978].

Alma-Tadema e la nostalgia dell'Antico, catalogo della mostra a cura di E. Querci, C. Sisi, Electa, Milano 2007.

A regola d'arte: monumenti futuri, catalogo della mostra a cura di E. Biffi Gentili, Mucchi Editore, Milano 1999.

Avviso. Achille Mauri, in "Roma", 30 settembre 1876.

Balloni S., *Teorie della visione a fondamento delle ricerche unificate di pittura e fotografia nell'Italia dei macchiaioli; L'uso dello specchio nero: la risultanza estetica del "ton gris" in relazione alle teorie fisiologiche del neokantismo*, ambedue in *I Macchiaioli e la fotografia*, catalogo della mostra a cura di M. Maffioli, con S. Balloni, N. Marchioni, Fratelli Alinari, Firenze 2008, pp. 16-31; 32-35.

Barbaro P., *Florence Henri 1927-1940 fotografie nelle raccolte CSAC*, "Archivi del progetto", collana diretta da A.C. Quintavalle, Università di Parma/Electa, Milano 1998.

Barroero L., *La 'naturale' nobiltà e bellezza del popolo romano*, in *Maestà di Roma. Universale ed eterna. Da Napoleone all'Unità d'Italia*, catalogo della mostra a cura di S. Pinto, L. Barroero, progetto di Stefano Susinno, Electa, Milano 2003, pp. 207-222.

Barthes R., *La camera chiara. Nota sulla fotografia*, Einaudi, Torino 1980.

Bonetti M.F., *D'après le Daguerréotype. L'immagine dell'Italia tra incisione e fotografia*, in *L'Italia d'argento. 1839-1859, Storia del dagherrotipo in Italia*, catalogo della mostra a cura di M.F. Bonetti, M. Maffioli, Fratelli Alinari, Firenze 2003, pp. 31-40.

Bonetti M.F., *Fotografi e collezionisti: il caso romano*, in *Roma 1840-1870. La fotografia, il collezionista e lo storico. Fotografie della collezione Orsola e Filippo Maggia*, catalogo della mostra a cura di M.F. Bonetti con C. Dall'Olio, A. Prandi, Peliti Associati, Roma 2008, pp. 13-16.

Bonetti M.F., *Talbot et l'introduction du calotype en Italie*, in *Éloge du negatif. Les débuts de la photographie sur papier en Italie [1846-1862]*, catalogo della mostra, testi di A. Cartier-Bresson, M.F. Bonetti, M. Maffioli, S. Paoli, S. Aubenas, Fratelli Alinari / Fondazione per la storia della fotografia, Firenze 2010, pp. 25-35.

Buerger J.E., *French Daguerreotypes*, The University of Chicago Press, Chicago-London 1989.

Calvino I., *Le città invisibili* (Torino, 1972), in Id. (1972, Milano), *Racconti e Romanzi*, edizione diretta da C. Milanini, a cura di M. Barenghi e B. Falcetto, Arnaldo Mondadori Editore, Milano, 1991-1994, 3 voll., II (1992), pp. 357-387.

Campania e Napoletano. Foglietto N. 5, Riproduzioni fotografiche pubblicate per cura dei Fratelli Alinari Fotografi-Editori, Firenze 1896.

Cassanelli R., *La fotografia nell'Accademia di Brera. Le prime acquisizioni*, in *Alle origini della fotografia. Luigi Sacchi 'lucigrafo' a Milano 1805-1861*, catalogo della mostra a cura di M. Miraglia, Federico Motta Editore, Milano 1996, pp. 31-38.

Cassio C., *Guido Rey*, in M. Miraglia, *Culture fotografiche e società a Torino 1839-1911*, U. Allemandi & C., Torino 1990, pp. 413-414.

Catalogo delle riproduzioni fotografiche pubblicate per cura dei Fratelli Alinari, Tipografia G. Barbèra, Firenze 1873.

Catalogo delle fotografie artistiche pubblicate per cura dello Stabilimento Giacomo Brogi. Seguito al Catalogo del 1873, Tipografia Fratelli Bencini, Firenze 1889.

Cavanna P. (a cura di), *Dalla pittura al Museo. Vittorio Avondo e la fotografia*, Edizioni Fondazione Torino Musei - GAM, Torino 2005.

Cavazza Pallottino L., *Gustave Eugène Chauffourier e il fondo omonimo nell'archivio fotografico comunale*, in "Bollettino dei musei comunali di Roma" XXIV (1977), pp. 89-100.

Colle E., *L'evoluzione del gusto pompeiano in Europa*, in R. Cassanelli, P.L. Ciapparelli, E. Colle, M. David, *Le case e i monumenti di Pompei nell'opera di Fausto e Felice Niccolini*, presentazione di S. De Caro, Istituto Geografico De Agostini, Novara 1997, pp. 26-39.

Conticello B., *Presentazione*, in *Fotografi a Pompei nell'800 dalle collezioni del Museo Alinari*, catalogo della mostra, presentazione di B. Conticello, scritti di E. De Carolis, G.C. Ascione, M. Falzone del Barbarò, M. Maffioli, E. Sesti, Alinari, Firenze 1990.

Costantini P., *Dall'immagine elusiva all'immagine critica. La raccolta Ellis e la costruzione dell'immagine fotografica di Venezia*, in "Fotologia", 3, 1985, pp. 12-29.

Costantini P., *Ruskin e il dagherrotipo*, in *I dagherrotipi della collezione Ruskin*, catalogo della mostra a cura di P. Costantini, I. Zannier, Arsenale Editrice, Venezia 1986, pp. 10-20.

D'Alconzo P., *L'anello del re. Tutela del patrimonio storico artistico nel regno di Napoli (1734-1824)*, Edifir, Firenze 1999.

D'Alconzo P., *La tutela del patrimonio archeologico nel Regno di Napoli tra Sette e Ottocento*, in "Mélanges de l'École Française de Rome". Italie et Méditerranée", volume monografico *Archéologie et construction nationale en Italie (1870-1922)*, Roma 2001, pp. 507-537.

Da palazzo degli studi a museo archeologico, catalogo della mostra a cura della Soprintendenza archeologica di Napoli, senza indicazione editoriale, Napoli 1977.

De Carolis E., *Una città e la sua scoperta*, in *Homo Faber. Natura, scienza e tecnica nell'antica Pompei*, catalogo della mostra a cura di A. Ciarallo, E. De Carolis, Electa, Milano 1999, pp. 23-30.

De Carolis E., *Robert Rive. Un album fotografico di Pompei*, Associazione internazionale amici di Pompei, "Quaderni di studi pompeiani" (VI), Napoli 2013.

Del Balzo C., *Napoli e i napoletani*, Treves, Milano 1885.

De Bourcard, F., *Usi e costumi di Napoli e contorni*, Longanesi & C., Milano 1977 [I ed. 1857].

del Pesco D., *Fotografia e scena urbana fra artigianato e industria culturale*, in *Napoli nelle collezioni Alinari e nei fotografi* napoletani fra Ottocento e Novecento, catalogo della mostra a cura di M. Picone Petrusa, D. del Pesco, Gaetano Macchiaroli editore, Napoli 1981, pp. 74-99.

Didi-Huberman G., *Storia dell'arte e anacronismo delle immagini*, Bollati Boringhieri, Torino 2007.

Eco U., *Opera aperta. Forma e indeterminazione nelle poetiche contemporanee*, Bompiani, Milano 2009 [I ed. 1962].

Éloge du negatif. Les débuts de la photographie sur papier en Italie [1846-1862], catalogo della mostra, testi di A. Cartier-Bresson, M.F. Bonetti, M. Maffioli, S. Paoli, S. Aubenas, Fratelli Alinari/ Fondazione per la storia della fotografia, Firenze 2010.

Espacio - Identidad - Empresa, catalogo della mostra a cura di S. Colli, R. Perrone, Editorial Gili, Barcelona 2003.

Excursions daguerriennes, représentant les vues et les nombreux munuments anciens et modernes les plus remarquables du Globe, Nöel Marie Paymal Lerebours, Rittner et Goupil Editeures, Hr. Bossage, Paris 1841-1843.

Exposition Universelle de Vienne, in "Le Moniteur de la Photpgraphie 1873 (XII), n. 20, 15 octobre, 2ª serie, pp. 156-157.

Falzone del Barbarò M., *Gustave Emile Chauffourier*, in Dizionario biografico degli Italiani, vol. 24, Treccani, Roma 1980, ad vocem.

Falzone del Barbarò M., Tempesta C., Claudia, *Marius pictor fotografo. L'album fotografico di Mario De Maria*, Longanesi, Milano 1979.

Falzone del Barbarò, Miraglia M., Mussa I., *Le fotografie di von Gloeden*, con una nota di Goffredo Parise, Longanesi, Milano 1980.

Fanelli G., *L'Italia virata all'oro attraverso le fotografie di Giorgio Sommer*, Edizioni Polistampa, Firenze 2007.

Fanelli G., *Robert Rive*, con la collaborazione di Barbara Mazza, Mauro Pagliai Editore, Livorno 2010.

Fanelli G., Mazza G., *Alphonse Bernoud*, Mauro Pagliai Editore, Livorno 2012.

Focus on Italy: First Biennial Festival of Italian Photography, catalogo della mostra a cura di G. Calvenzi, Studio Marangoni/ Polistampa, Firenze 1999.

Fotografare le Belle arti. Appunti per una mostra. Un percorso all'interno dell'archivio fotografico della Direzione generale delle antichità e belle arti, Fondo MPI Ministero della pubblica istruzione 1860-1970, catalogo della mostra a cura dell'Istituto Centrale per il Catalogo e la documentazione, testi di L. Moro, E. Berardi, P. Cavanna, ICCD collezioni n. 01, Roma 2013.

Fotografi a Pompei nell'800 dalle collezioni del Museo Alinari, catalogo della mostra, presentazione di B. Conticello, scritti di E. De Carolis, G.C. Ascione, M. Falzone del Barbarò, M. Maffioli, E. Sesti, Alinari, Firenze 1990.

Franco F., *Alla prova della modernità: l'archivio fotografico del fondo di Villa Clementi*, in Scipione Vannutelli 1834-1894. Il fondo di opere dalla Villa Clementi a Cave, catalogo della mostra a cura di C. Virno, De Luca Editori d'arte, Roma 2004, pp. 29-37.

Franz von Stuck und die Münchner Akademie von Kandinsky bis Albers / Franz von Stuck e l'Accademia di Monaco da Kandinsky ad Albers, Mazzotta, Milano 1990.

Franz von Stuck und die Photographie. Inszenierung und Dokumentation, catalogo della mostra a cura di J.A. Birnie Danzker, U. Pohlmann, J.A. Schmoll gen. Eisenwerth, Museum Villa Stuck/Pretel Verlag, München 1996.

Fusco M.A., *Il "luogo comune" paesaggistico nell'immagine di massa*, in C. De Seta (a cura di), Il paesaggio, in "Storia d'Italia, Annali 5", Giulio Einaudi editore, Torino 1982, pp. 753-801.

García y García L., *Nova bibliotheca pompeiana. 250 anni di bibliografia pompeiana. Catalogo degli scritti riguardanti la storia, l'arte e gli scavi di Pompei, Ercolano, Stabia e Oplonti con numerose referenze per l'eruzione vesuviana del 79 d. C., i papiri ercolanesi, le raccolte del Museo Nazionale di Napoli e per i libri dei Viaggiatori in Campania*, Bardi Editore, Roma 1998, 2 voll.

Giorgio Sommer, Casa Fondata nel 1857. Giorgio Sommer fotografo di S. M. il Re d'Italia. Largo Vittoria Napoli Palazzo Sommer. Catalogo di fotografie d'Italia, Malta e ferrovie del Gottardo 1886, Tipografia A. Trani, Napoli 1886.

Giorgio Sommer, Casa Fondata nel 1857. Giorgio Sommer & Figlio fotografi di S. M. il Re d'Italia. Largo Vittoria Napoli Palazzo Sommer. Catalogo di fotografie 1891, Tipografia A. Trani, 1891 Napoli.

Giorgio Sommer & Figlio, fotografi di S. M. il Re d'Italia. Largo Vittoria Napoli, Palazzo Sommer. Catalogo di Bronzi e terracotta. Fonderia artistica-industriale, Tipografia A. Trani, Napoli s.d. [post 1889 - ante 1899].

Giorgio Sommer, N. 1. Catalogo di fotografie e diapositive. Contorni, Museo, etc. di Napoli. Casa fondata nel 1857. Napoli [post 1908].

Giorgio Sommer, N. 2. Catalogo di fotografie e diapositive. Contorni, Museo, etc. di Napoli. Casa fondata nel 1857. Napoli [post 1908].

Guglielmo Plüschow (1852-1930). Ein Photograph aus Mecklenburg in Italien, catalogo della mostra a cura di U. Pohlmann, Sämtliche Abbildungen aus dem Fotomuseum im Münchner Stadtmuseum, München 1995.

Guido Rey. Dall'alpinismo alla letteratura e ritorno, catalogo della mostra a cura di A. Audisio, G. Garimoldi, "Cahier Museomontagna" 46, Museo Nazionale della montagna Duca degli Abruzzi, Club Alpino Italiano, Torino 1986.

Guido Rey fotografo pittorialista, catalogo della mostra a cura di A. Sella e F. Maggia, Nepente, Milano 2004.

Gustave Le Gray 1820-1884, catalogo della mostra a cura di S. Aubenas, Bibliothèque nationale de France/Gallimard, Paris 2002.

Guzzo P.G., *Pompei. Storia e paesaggi della città antica*, Electa, Milano 2007.

Hans von Marées, catalogo della mostra a cura di G. Finckh, N. Hartje-Grave, Von der Heydt-Museum Wuppertal, Wuppertal 2008.

Heilbrun F., *Paesaggio e natura*, Musée d'Orsay, Paris 2004.

I "Deutsch-Römer". Il mito dell'Italia negli artisti tedeschi, 1850-1900, catalogo della mostra, Arnoldo Mondadori Editore/De Luca Edizioni d'Arte, Milano/Roma 1988.

Il paesaggio italiano. Fotografie 1950-2010, catalogo della mostra a cura di W. Liva, Lithostampa, Pasian di Prato (UD) 2014.

I Macchiaioli e la fotografia, catalogo della mostra a cura di M. Maffioli, con S. Balloni, N. Marchioni, Fratelli Alinari, Firenze 2008.

Italien. Sehen und Sterben. Photographien der Zeit des Risorgimento (1845-1870), catalogo della mostra a cura di B. von Dewitz, D. Siegert, K. Schuller-Procopovici, Edition Braus, Heidelberg 1994.

Jacobson K. (a cura di), *Étude d'après nature. 19th Century Photographs in Relation to art: artist's studies, works of art, portraits of artists, mixed media*, scritti di A. Hamber, K. Jacobson, Ker & Jenny Jacobson, Essen 1996.

Krauss R., *Teoria e storia della fotografia*, Bruno Mondadori, Milano 1996.

L'Italia d'argento. 1839-1859, Storia del dagherrotipo in Italia, catalogo della mostra a cura di M.F. Bonetti, M. Maffioli, Fratelli Alinari, Firenze 2003.

Lacan E., *Pompeia. Vues stéréoscopiques. Par M. Grillez*, in "La Lumière", 10 mai 1856 (VI), n. 19, pp. 71-72.

Le daguerréotype français. Un objet photographique, catalogo della mostra a cura di Q. Bajac, D. Planchon-de Font-Réault, Éditions de la Réunion des Musées Nationaux, Paris, 2003.

Lucas U., Agliani T., *L'immagine fotografica 1945-2000, Annali XX*, in Storia d'Italia, Einaudi, Torino 2004.

Lugon O., *Lo stile documentario in fotografia. Da August Sander a Walker Evans. 1920-1945*, Electa, Milano 2008.

Maestà di Roma. Universale ed eterna. Da Napoleone all'Unità d'Italia, catalogo della mostra a cura di S. Pinto, L. Barroero, progetto di Stefano Susinno, Electa, Milano 2003.

Maffioli M., *I macchiaioli e la fotografia: personaggi, luoghi e modelli visivi*, in *I Macchiaioli e la fotografia*, catalogo della mostra a cura di M. Maffioli, con S. Balloni, N. Marchioni, Fratelli Alinari, Firenze 2008, pp. 36-59.

Maffioli M., *Fotografie di paesaggio nella Sicilia dell'Ottocento*, in *Di là del faro. Paesaggi e pittori siciliani dell'Ottocento*, catalogo della mostra a cura S. Troisi, P. Nifosi, Silvana Editoriale, Milano 2014.

Mauri A., *Avviso*, in "Roma", 30 settembre 1876.

Mazois F., *Les Ruines de Pompei, dessinées et misurées par F. Mazois pendant les années MDCCCIX, MDCCCX, MDCCCXI, ouvrage continuée par M. Gau*, Librairie de Pierre et Ambroise Firmin Didot Frères, Paris 1812-1838, 4 voll.

Milanese A., *Album museo. Immagini fotografiche ottocentesche del museo nazionale di Napoli*, Electa Napoli, Napoli 2009.

Milanese A., *Ricostruire Pompei fuori Pompei. Antichi allestimenti del Museo di Napoli, a Londra e a Parigi*, in P.G. Guzzo, G. Tagliamonte (a cura di), *Città vesuviane. Antichità e fortuna. Il suburbio e l'agro di Pompei, Ercolano, Oplontis e Stabiae*, Istituto dell'Enciclopedia Italiana, Roma 2013, pp. 34-41; 331-390.

Mimmo Jodice, catalogo della mostra a cura di I. Giannelli e D. Lancioni, Federico Motta Editore, Milano 2010.

Miraglia M., *Francesco Paolo Michetti fotografo*, Giulio Einaudi editore, Torino 1975.

Miraglia[a] M., *Cesare Vasari e il "genere" nella fotografia napoletana dell'Ottocento* in "Bollettino d'arte", n. 33-34, 1985 (LXX), serie VI, pp. 199- 206,

Miraglia[b] M., *Faruffini tra pittura e fotografia*, in *Federico Faruffini*, catalogo della mostra a cura di A. Finocchi, Electa, Milano 1985, pp. 30-33.

Miraglia M., *Guglielmo Plüschow alla ricerca del bello ideale*, in "AFT", anno IV, n. 7, 1988, pp. 62-67.

Miraglia, M., *Ettore Roesler Franz fotografo fra veduta e paesaggio*, in *Riletture del vero: gli acquerelli di Ettore Roesler Franz*, catalogo della mostra a cura di G. Bonasegale, M.C. Biagi, Fratelli Palombi, Roma 1993, pp. 13-26.

Miraglia M., *La fotografia, un altro sguardo sulla realtà*, in *Cambellotti (1876-1960)*, catalogo della mostra a cura di G. Bonasegale, A.M. Damigella, B. Mantura, De Luca, Roma 1999, pp. 55-57.

Miraglia M., *Morelli e la fotografia*, in

Domenico Morelli e il suo tempo. 1823-1901 dal Romanticismo al Simbolismo, catalogo della mostra a cura di L. Martorelli, Electa Napoli, Napoli 2005, pp. 190-203.

Miraglia M. (a cura di), *La fotografia in Sardegna. Lo sguardo esterno 1854-1939*, Ilisso, Nuoro 2008.

Miraglia M., *Fotografi e pittori alla prova della modernità*, Bruno Mondadori, Milano 2012.

Modena per la fotografia. L'Idea di paesaggio nella fotografia italiana dal 1850 ad oggi, catalogo della mostra a cura di F. Maggia, G. Roganti, Silvana Editoriale, Cinisello Balsamo (MI) 2003.

Monumentos Futuros Esperia, catalogo della mostra a cura di E. Biffi Gentili, Collegi d'arquitectes de Catalunya/Nova Press, Milano 2001.

Musacchio M., *L'archivio della Direzione generale delle antichità e belle arti (1860-1890). Inventario*, Archivio Centrale dello Stato, Ministero per i Beni Culturali e Ambientali, Ufficio Centrale per i Beni Archivistici, Roma 1994.

Napoli nelle collezioni Alinari e nei fotografi napoletani fra Ottocento e Novecento, catalogo della mostra a cura di M. Picone Petrusa, D. del Pesco, Gaetano Macchiaroli editore, Napoli 1981.

Napoli '81. Sette fotografi per una nuova immagine, catalogo della mostra a cura di C. De Seta, Electa Napoli, Napoli 1981.

Napoli in posa 1850-1910. Crepuscolo di una capitale, catalogo della mostra a cura di G. Fiorentino, G. Matacena, Electa Napoli, Napoli 1989.

Niccolini Fausto, Niccolini Felice, Niccolini Antonio junior, *Le case ed i monumenti di Pompei disegnati e descritti*, proemio di S. De Caro, disegni degli autori e di Giacinto Gigante, Teodoro Du Clère, Achille Vianelli, Giuseppe Abbate...*, Napoli 1854-1896, 11 voll.

Parker J., *Historical photographs: a catalogue of three thousand three hundred photographs of antiquities in Rome and Italy..., prepared under the direction of John Henry Parker*, London 1879.

Peirce C.S., *Semiotica. I fondamenti della semiotica cognitiva*, a cura di M.A. Bonfantini, L. Grassi, R. Grazia, Giulio Einaudi editore, Torino 1980.

Perna R., *Wilhelm von Gloeden. Travestimenti, ritratti, tableaux vivants*, Postmedia books, Milano 2013.

Pinto S., *La promozione delle arti negli Stati italiani*, in *Dal Cinquecento all'Ottocento, II. Settecento e Ottocento*, Einaudi, Torino 1982, pp. 793-1079.

Pohlmann[a] U., *Alma-Tadema and photography*, in *Sir Lawrence Alma Tadema*, catalogo della mostra a cura di E. Becker con E. Morris, E. Prettejohn, J.

Treuherz, Van Gogh Museum, Amsterdam 1996, pp. 111-125.

Pohlmann[b] U., *"Als hätte er sich selbst entworfen". Die (selbst) Darstellung Franz von Stucks in photographie. Malerei und Karikatur*, in *Franz von Stuck und die Photographie. Inszenierung und Dokumentation*, catalogo della mostra a cura di J.A. Birnie Danzker, U. Pohlmann, J.A. Schmoll gen. Eisenwerth, Museum Villa Stuck/Prestel Verlag, München 1996, pp. 27-37.

Pohlmann U., *La fotografia di nudo nell'Ottocento*, in *Il nudo fra ideale e realtà. Dall'invenzione della fotografia a oggi*, catalogo della mostra a cura di P. Weiermair, E. Deuster (von), Artificio, Firenze 2004, pp. 15-26

Pohlmann U., *"Sehen lernen ist Alles". Hans von Marées und die Fotografie seiner Zeit*, in *Hans von Marées*, catalogo della mostra a cura di G. Finckh, N. Hartje-Grave, Von der Heydt-Museum Wuppertal, Wuppertal 2008, pp. 222-235.

Pompei 1748-1980. I tempi della documentazione, catalogo della mostra a cura dell'Istituto Centrale per il Catalogo e la Documentazione, della Soprintendenza archeologica delle province di Napoli e Caserta e della Soprintendenza Archeologica di Roma, Multigrafica Editrice, Roma 1981.

Prada S., *Guido Rey. Il poeta del Cervino*, Editoriale Sportiva Milano, Milano 1945.

Primitifs de la photographie. Le calotype en France 1843-1860, catalogo della mostra a cura di S. Aubenas, P.L. Roubert, Gallimard/Bibliothèque nationale de France, Paris 2010.

Real Museo Borbonico, dalla stamperia Reale, Napoli 1824-1857, 16 voll.

Regards sur la photographie en France au XIXe siécle. 180 chefs-d'œuvres de la Bibliothéque nationale, catalogo della mostra, Berger-Levrault, Paris 1990.

Rendering. Traduzione, citazione, contaminazione. Rapporti tra i linguaggi dell'arte visiva, catalogo della mostra a cura di A. Moltedo, Palombi Editore, Roma 2010.

Riccio S., *Vesuvio*, Electa Napoli, Napoli 2002.

Roma 1850. Il circolo dei pittori fotografi del Caffè Greco, Roma 1850. Le circle des artistes photographers du Caffè Greco, catalogo della mostra a cura di A. Cartier-Bresson, A. Margiotta, Electa, Milano 2003.

Roma 1840-1870. La fotografia, il collezionista e lo storico. Fotografie della collezione Orsola e Filippo Maggia, catalogo della mostra a cura di M.F. Bonetti con C. Dall'Olio, A. Prandi, Peliti Associati, Roma 2008.

Ruesch A. (a cura di), *Guida illustrata del Museo Nazionale di Napoli*, approvata dal Ministero dell'Istruzione Pubblica, compilata da D. Bassi, E. Gabrici, L. Mariani, O. Marucchi, G. Patroni, G. De Petra, A. Sogliano, Richter & Co, Napoli 1908.

Russo Marialba, Roma, fasti moderni. Il disordine del tempo, catalogo della mostra, testo di D. Palazzoli, Fondazione Mudima, Milano 1993.

Selvatico Estense P., L'arte insegnata nelle Accademie secondo le norme scientifiche, in Atti dell'Imp. Reg. Accademia di Belle Arti di Venezia per la distribuzione de' premi fatta il giorno 8 agosto 1852, Pietro Naratovich, Venezia 1852, pp. 7-31.

Sir Lawrence Alma-Tadema, catalogo della mostra a cura di E. Becker con E. Morris, E. Prettejohn, J. Treuherz, Van Gogh Museum, Amsterdam 1996.

Sisi C., Fra Babilonia e Pompei. Teoria e immaginazione dell'Antico, in Alma-Tadema e la nostalgia dell'Antico, catalogo della mostra a cura di E. Querci, S. De Caro, Electa, Milano 2007, pp. 138-157.

Stefano Lecchi. Un fotografo e la repubblica romana del 1849, catalogo della mostra a cura di M.P. Critelli, scritti di M. Miraglia, M.P. Critelli, S. Paoli, Retablo, Roma 2001.

Tomassini L., Vedere Firenze nell'Ottocento. Immagini e descrizioni della città nell'editoria per il turismo, in Alle origini della fotografia. Un itinerario toscano 1839-1880, catalogo della mostra a cura di M. Falzone del Barbaró, M. Maffioli, E. Sesti, Alinari, Firenze 1989, pp. 17-27.

Un inglese a Roma. La raccolta Parker nell'Archivio Fotografico Comunale 1864-1877, presentazione di L. Cavazzi, Artemide Edizioni, Roma 1989.

Une invention du XIXᵉ siécle, expression et tecnique, la photographie, catalogo della mostra a cura di B. Marbot, Bibliothèque nationale de France, Paris 1977.

Unter dem Protektorate Sr. Majestät des Königs Ludwig II von Bayern. Internationale Ausstellung von Arbeiten aus Edlen Metallen und Legierungen in Nürnberg 1885, Offizielle Katalog, Nürnberg 1885.

Un viaggio fra mito e realtà. Giorgio Sommer fotografo in Italia 1857-1891, catalogo della mostra a cura di M. Miraglia, U. Pohlmann, Carte Segrete, Roma 1992.

Vasari A., Catalogo: Roma-Napoli-Venezia ecc. Cav. Uff. Alessandro Vasari Brevettato dalle LL. MM: Stabilimento Fototecnico industriale, Edizione completa di fotografie artistiche. Casa Fondata nel 1860,

Fotografia Editrice Artistica, Roma s.d. [1910].

Voir l'Italie et mourir. Photographie et peinture dans l'Italie du XIXᵉ siècle, catalogo della mostra a cura di U. Pohlmann, da un'idea di U. Pohlmann e G. Cogeval, Musée d'Orsay/Skira Flammarion, Paris 2009.

Wilhelm von Gloeden. Interventi di Joseph Beuys, Michelangelo Pistoletto, Andy Warhol, testo di R. Barthes, catalogo della mostra, Amelio Editore, Napoli 1978.

Wilhelm von Gloeden. Fotografie ritrovate dell'Istituto Statale d'Arte di Firenze. 1899-1902, catalogo della mostra a cura di A. Caputo, Pagliai Polistampa, Firenze 2000.

Windows and mirrors. American Photography since 1960, catalogo della mostra a cura di J. Szarkowski, The Museum of Modern Art, New York 1978.

LE IMMAGINI

1. **Alexander John Ellis**, *Tempio di Giove*, 1841

2. **Alexander John Ellis**, *Lato occidentale della Strada delle Tombe*, 1841
3. **Alexander John Ellis**, *Lato orientale della Strada delle Tombe*, 1841

4. **Alexander John Ellis**, *La Basilica*, 1841
5. **Alexander John Ellis**, *Il Foro*, 1841

6. **Alexander John Ellis**, *Il Foro dall'angolo Sud Est*, 1841
7. **Alexander John Ellis**, *Altare nel cosiddetto Tempio di Mercurio*, 1841

8. **Alexander John Ellis**, *Interno del Tempio di Venere*, 1841

9. **Richard Calvert Jones**, *Casa di Sallustio con lo sfondo del Vesuvio*, 1846
10. **Richard Calvert Jones**, *Casa di Sallustio*, esemplare acquerellato, 1846

11. **Teodoro Duclère**, *Casa detta del Fauno*, 1854

12. **Stefano Lecchi**, *Casa del Fornaio*, 1846

13. **Stefano Lecchi**, *Veduta del Foro*, 1846

14. **Alfred-Nicolas Normand**, *Castore e Polluce*, 1851

MAISON DE PANSA

15. **Alfred-Nicolas Normand**, *Casa di Pansa*, 1851

16. **Alfred-Nicolas Normand**, *Capitello corinzio nella Casa del Fauno*, 1851

17. **Alfred-Nicolas Normand**, *Capitello ionico nella Casa del Fauno*, 1851

18. **Alfred-Nicolas Normand**, *Casa del Poeta tragico*, 1851
19. **Alfred-Nicolas Normand**, *Casa del Fauno*, 1851

20. **Alfred-Nicolas Normand**, *Casa del Fauno*, 1851
21. **Alfred-Nicolas Normand**, *Casa del Poeta tragico*, 1851

22. **Alfred-Nicolas Normand**, *Tempio di Venere*, 1851

23. **Alfred-Nicolas Normand**, *Atrio della Casa di Cornelio Rufo*, 1849 circa
24. **Giacinto Gigante**, *Atrio della Casa di Cornelio Rufo*, 1862

25. **Paul Jeuffrain**, *Strada urbana*, 1852

26. **Paul Jeuffrain**, *Il Foro*, 1852

27. **Paul Jeuffrain**, *Casa del Fauno*, 1852

28. **Edmund Bennett**, *Casa di Pansa*, 1855
29. **Edmund Bennett**, *Tempio di Mercurio*, 1855

30. **James Graham**, *Veduta del Foro*, 1860-1862

31. **Giacinto Gigante**, *Veduta del Foro*, 1862

32. **James Graham**, *Casa di Marco Olconio*, 1862
33. **James Graham**, *Villa di Diomede a Pompei*, 1860-1862

34. **James Graham**, *Strada delle Tombe.*
Monumento funebre di Naevoleia Tyche, 1860-1862

35./36. **Giorgio Sommer**, *Baccante*, anni sessanta
37. **Nicola La Volpe**, *Due danzatrici - Antico dipinto di Pompei*, 1831

38./39. **Giorgio Sommer**, *Baccante*, anni sessanta
40. **Nicola La Volpe**, *Due danzatrici - Antico dipinto di Pompei*, 1831

41./42. **Giorgio Sommer**, *Baccanti*, anni sessanta
43. **Nicola La Volpe**, *Danzatrici - Antico dipinto di Pompei*, 1831

44. **Giorgio Sommer**, *Ercole ubriaco*, post 1873-1886

45. **Giorgio Sommer**, *Bacco con un fauno*, ante 1873

N°1210. Casa del Poeta. Pompei

46. **Giorgio Sommer**, *Veduta animata della Casa del Poeta*, 1860
47. **Giorgio Sommer**, *Veduta animata della Strada delle Tombe*, anni ottanta

48. **Giorgio Sommer**, *Casa di Diomede*, 1860
49. **Giorgio Sommer**, *Casa del Gallo*, anni ottanta

50. **Giorgio Sommer**, *Casa di Marco Lucrezio*, anni ottanta

51. **Giorgio Sommer**, *Veduta animata della Casa di Marco Olconio*, anni ottanta

52. **Giorgio Sommer**, *Édouard Alexandre Sain, Fouilles a Pompei*, 1875 circa

53. **Giacinto Gigante**, *Veduta animata del Foro*, 1862

54. **Alphonse Bernoud**, *Panorama preso dal Teatro*, ante 1873
55. **Alphonse Bernoud**, *Veduta del Foro e della Basilica*, 1865 circa

56. **Alphonse Bernoud**, *Casa di Sallustio*, 1860-1865
57. **Alphonse Bernoud**, *Forno e Mulino di M. Popidius Priscus*, post 1873

58. **Alphonse Bernoud**, *Strada delle Tombe*, 1875-1888

59. **Giacinto Gigante**, *Strada dei Sepolcri*, 1862

60. **Robert Rive**, *Pompei,*
frontespizio litografico con la firma dell'autore, ante 1868

61. **Robert Rive**, *Veduta della Strada delle Tombe
con il monumento di Naevoleia Tyche*, 1875 circa
62. **Robert Rive**, *Veduta paesaggistica della Porta di Nola*, 1870 circa

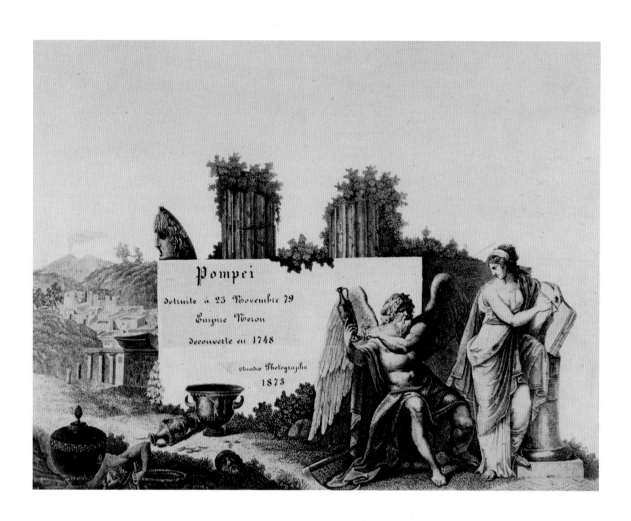

63. **Michele Amodio**, *Frontespizio litografico di Michele Amodio*, anni settanta

64. **Michele Amodio**, *Tempio di Iside*, 1873
65. **Michele Amodio**, *Pompei, Strada delle Tombe*, 1870 circa

66. **Michele Amodio**, *Impronta umana di una fanciulla*, 1878

Pompei impronta umana (scavi 1883)   M. Amodio. Napoli.

67. **Michele Amodio**, *Pompei. Impronta umana*, 1883

68. Fotografo non identificato attivo per **J.H. Parker**,
Anfore nella Casa del Fauno, 1869-1877
69. Fotografo non identificato attivo per **J.H. Parker**,
Interno del Tempio di Mercurio, 1869-1877

108

70. Fotografo non identificato attivo per **J.H. Parker**,
Bagni pubblici, 1869-1877
71. Fotografo non identificato attivo per **J. H. Parker**,
Casa di Meleagro, 1869-1877

72. Fotografo non identificato, *Disegnatore nella Casa di Sallustio*
(Sir Lawrence Alma-Tadema?) anni ottanta

73. **Giacinto Gigante**, *Veduta del peristilio della Casa
di Arianna o dei Capitelli colorati*, 1854

74. **Achille Léon Quinet**, *Veduta del Foro*, 1865-1870

75. **Giuseppe Colombo**, *Veduta del Foro Triangolare*, 1885

76. **Michele Busco**, *Pompei. Scheletro nelle vie dell'abbondanza*, 1885
77. **Michele Busco**, *Pompei. Casa del Balcone Pensile*, 1885

78. **Michele Busco**, *Pompei. Peristilio della Casa di Meleagro*, 1885
79. **Michele Busco**, *Tempio di Mercurio*, 1885

115. Pompei — Ultimi Scavi.

80. **Fotografia Artistica**, *Pompei - Ultimi scavi*, 1880-1890

81. **Fotografia Artistica**, *Trasporto su binari*, 1880-1890
82. **Giorgio Sommer**, *Scavi alla Casa dei Vettii*, 1896

83. **Gustave Eugène Chauffourier**, *Pompei. Bagni di Stabia*, 1890 circa

84. **Gustave Eugène Chauffourier**, *Pompei. Panorama*, 1890 circa

85./86. **Giorgio Vasari (?)**, *Panorama preso dal teatro tragico*, data incerta

87. **Giorgio Vasari (?)**, *Porzione di Grondaie nella strada di Mercurio*, data incerta
88. **Giorgio Vasari (?)**, *Teatro Greco*, data incerta

DINTORNI DI NAPOLI - Pompei - Baccante - Affresco

89. **Giorgio Vasari (?)**, *Baccante,* data incerta

90. **Giorgio Vasari (?)**, *Ulisse ferito*, data incerta

91. **Fratelli Alinari**, *Gronde in terra cotta di forme e decorazioni diverse, 1895-1899*

92. **Fratelli Alinari**, *Sedile della Tomba di Mamia*, 1895-1899

93. **Edizioni Brogi**, *Fullonica o stabilimento dove purgavasi la lana*, 1880-1882
94. **Edizioni Brogi**, *Interno delle Terme Stabiane*, 1880/82-1899

95. **Edizioni Brogi**, *Casa dei Vettii, erma bicipite con Arianna e Bacco barbato*, 1896

96. **Edizioni Brogi**, *Veduta esterna dell'Anfiteatro*, 1880/82-1890
97. **Paul Jeuffrain**, *Interno dell'Anfiteatro*, 1852

98. **S. De Stefani**, *Esterno e interno dell'Anfiteatro*, 1896

99. **Peter Paul Mackey**, *Forum*, 1890-1900
100. **Peter Paul Mackey**, *Gates*, 1890-1900

101. **Ditta Anderson**, *Casa detta del Torello di bronzo - Il Peristilio*,
anni venti del XX secolo
102. **Ditta Anderson**, *Veduta della Caserma dei Gladiatori*, stampa attuale

103./104. **Guido Rey**, *Scena pompeiana*, 1895

105. **Guido Rey**, *Amor materno*, 1898

106. **Guido Rey**, *Siesta nel meriggio pompeiano*, 1898

107. **Guido Rey**, *Venditrice di frutta fresca a Pompei*, 1898

108. **Guido Rey**, *Omaggio a Dioniso*, 1898

109. **Guido Rey**, *Suonatrice di aulos*, 1898

110. **Guido Rey**, *Egloga*, 1898

111. **Guido Rey**, *Il piccione*, 1896
(alla pagina 30) 112. **Guido Rey**, *Colloquio*, 1898

113. **Guglielmo Plüschow**, *Veduta animata del Sedile di Mamia*, 1890 circa

114. **Guglielmo Plüschow**, *Composizione presso il larario
della Casa di M. Epidius Sabinus*, 1885-1890

115. **Guglielmo Plüschow**, *Edoardo e un bambino ignudo presso
la Casa del Fornaio*, 1896-1898
116. **Guglielmo Plüschow**, *Quattro bambini variamente atteggiati*, 1890 circa

117. **Guglielmo Plüschow**, *Giovine in abiti antichi, Casa dei Vettii*, 1896-1898

118. **Guglielmo Plüschow**, *Giovine vestito all'antica nel peristilio della Casa dei Vettii*, 1896-1898

119. **D. Capri**, *Saggi di restauro*, 1896

120. **Florence Henri**, *Rome, Forum*, 1933-1934

121. **Florence Henri**, *Nu Composition*, 1930-1935

122. **Mimmo Jodice**, *Atleti dalla Villa dei Papiri, Museo Archeologico Nazionale di Napoli*, 1986

123. **Sergio Riccio**, *Pompei leopardiana*, 1999

124. **Sergio Riccio**, *Opus*, 1999

125. **Cristina Omenetto**, *Pompei # 1 (Calchi umani all'Orto dei Fuggiaschi)*, 1999

126. **Cristina Omenetto**, *Pompei # 11 (Davanti ai calchi)*, 1999

127. **Cristina Omenetto**, *Pompei # 4* (*L'antico Antiquarium*), 1999

128. **Cristina Omenetto**, *Pompei # 5 (Peristilio della Casa dei Vettii)*, 1999

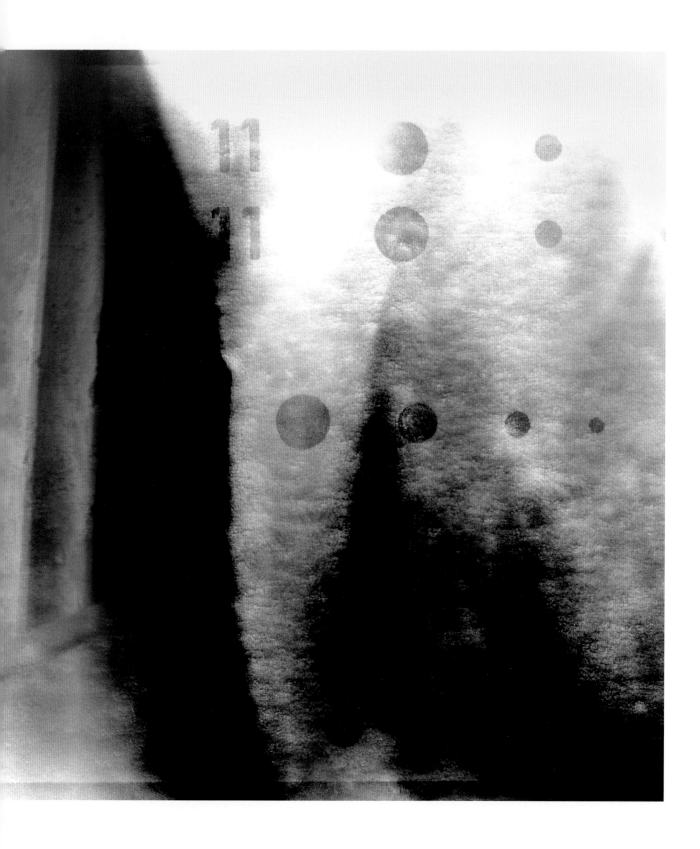

129. **Luca Campigotto**, *Tempio di Apollo*, 2015

130. **Luca Campigotto**, *Casa dei Ceii*, 2015

Didascalie delle immagini

Nella scelta delle immagini, ho cercato – nei limiti del possibile – di privilegiare gli autori noti, ma poco pubblicati in Italia, selezionando inoltre, in qualche caso, fotografie ancora inedite; ho rivolto l'attenzione anche ad autori segnalati o meno dalla letteratura, ma ancora ignorati nei repertori iconografici pompeiani, impegnandomi soprattutto a sottolineare i legami profondi che, mentre riconducono tutta la produzione fotografica dell'Ottocento alla precedente tradizione rappresentativa e alla coeva pittura neopompeiana, anticipano alcune problematiche a noi contemporanee; mi sono, di conseguenza, avvalsa di opere realizzate con diverse tecniche artistiche, ossia, oltre che con la fotografia, con la grafica e la pittura.
I titoli sono dati in corsivo, quelli originali sono posti fra doppi apici. Preciso che nelle misure – date in millimetri – l'altezza precede la base e che quelle in parentesi si riferiscono, quando ci sono, ai supporti o ai cartoni di montaggio; segnalo anche che si discostano da questo criterio convenzionale i formati standard, con misure fisse e in cm, indipendentemente dal fatto che l'immagine sia verticale od orizzontale. Infine avverto che le date si riferiscono all'anno (o agli anni) in cui furono tirati gli esemplari utilizzati e non a quello dello scatto, anche se, a volte, può esistere una coincidenza cronologica.

Abbreviazioni
AFT (Archivio Fotografico Toscano)
BnF (Bibliothèque nationale de France)
BSR (British School at Rome)
ICCD (Istituto Centrale per il Catalogo e la Documentazione)
ICG (Istituto Centrale per la Grafica)
MPI (Ministero della Pubblica Istruzione)
NMM (National Media Museum)
RMFA (Raccolte Museali Fratelli Alinari)
SFP (Société Française de Photographie)

Alexander John Ellis (1814-1890)
1. *Pompei. Tempio di Giove all'estremità settentrionale del Foro*, 12 maggio 1841
2. *Lato occidentale della Strada delle Tombe con i resti dell'antica Locanda*, 22 aprile 1841
3. *Lato orientale della Strada delle Tombe da una delle stanze dell'antica Locanda*, 21 aprile 1841
4. *Pompei. La Basilica appena superato il lato occidentale del Foro*, 12 maggio 1841
5. *Pompei. Il Foro dall'estremità Sud*, 12 maggio 1841
6. *Pompei. Il Foro dall'angolo Sud Est, con il Vesuvio sullo sfondo*, 21 aprile 1841
7. *Pompei. Facciata occidentale di un Altare nel cosiddetto Tempio di Mercurio*, 12 maggio 1841
8. *Pompei. Interno del tempio di Venere nel lato occidentale del Foro*, 22 aprile 1841
Otto dagherrotipie lastra intera (165 x 219) in cornici originali 277x341, Bradford, NMM

Richard Calvert Jones (1802-1877)
9. *Casa di Sallustio con lo sfondo del Vesuvio*, primavera del 1846. Stampa al sale da negativo su carta, 162 x 211 (195 x 250), New York, Hans P. Kraus
10. *Casa di Sallustio*, primavera del 1846. Stampa al sale da negativo su carta, 62 x 211 (195 x 250), esemplare acquerellato, New York, Hans P. Kraus

Teodoro Duclère (1816-1867)
11. *"Casa detta del Fauno"*, 1854. Cromolitografia di G. Frauenfelder, Richter & C., vol. I, tav. IX, in Felice e Fausto Niccolini, *Le case ed i monumenti di Pompei*, Napoli, Biblioteca del Museo Archeologico Nazionale

Stefano Lecchi (1804-1859?)
12. *Casa del Fornaio*, 1846. Carta salata da negativo su carta, 154 x 219, Los Angeles, The Getty Research Institute
13. *Veduta del Foro*, 1846. Carta salata da negativo su carta, 154 x 219 (232 x 314), Mandello del Lario (Lecco), Collezione Ruggero Pini

Alfred-Nicolas Normand (1822-1909)
14. *"Pompei. Castor et Pollux"*, 1851. Negativo su carta cerata secca, 216 x 161
15. *"Maison de Pansa"*, 1851. Negativo su carta cerata secca, 212 x 159
16. *"Pompei, maison du Faune"*, [capitello corinzio], 1851. Negativo su carta cerata secca, 215 x 160
17. *"Pompei, maison du Faune"*, [capitello ionico], 1851. Negativo su carta cerata secca, 161 x 214
18. *"Pompei, maison du Poète tragique"*, 1851. Negativo su carta cerata secca, 161 x 214
19. *"Pompei, maison du Faune"*, 1851. Negativo su carta cerata secca, 161 x 216
20. *"Pompei, maison du Faune"*, 1851. Negativo su carta cerata secca, 161 x 220
21. *"La maison du Poète tragique"*, 1851. Negativo su carta cerata secca, 157 x 213
22. *"Pompei"*, *Tempio di Venere*, 1851. Negativo su carta cerata secca, 215 x 160
Nove negativi firmati su carta, Parigi, Musée d'Orsay

Alfred-Nicolas Normand
23. *"Atrium de la maison dite de Cornélia Rufo, Pompéi"*, 1849 circa. Acquarello, 270 x 350, Parigi, Musée d'Orsay

Giacinto Gigante (1806-1876)
24. *Atrio della Casa di Cornelio Rufo*, 1862. Cromolitografia di K. Grob, Richter & C., vol. II (*Descrizione generale*), tav. XXV, in Felice e Fausto Niccolini, *Le case ed i monumenti di Pompei*, Napoli, Biblioteca del Museo Archeologico Nazionale

Paul Jeuffrain (1809-1896)
25. *"Pompei - rue consulaire"* 1852. Negativo su carta cerata, 193 x 252
26. *Pompei, Foro pubblico*, 1852. Negativo su carta cerata, 199 x 295
27. *"Pompei, maison du Faune"*, 1852. Negativo carta cerata, 199 x 295
Tre negativi in calotipia, Parigi, SFP

Edmund Bennett (attivo a Pompei nel 1855)
28. *Casa di Pansa a Pompei*, 1855. Carta salata albuminata da negativo all'albumina su vetro, 240 x 303 (277 x 350)
29. *Tempio di Mercurio a Pompei*, 1855. Carta salata albuminata da negativo all'albumina, 242 x 305 (270 x 350)
Due carte salate, Monaco di Baviera, Neue Pinakothek, Collezione Siegert, acquisto del Pinakotheks-Verein con il supporto dell'Ernst von Siemens Kunststiftung e della Sparkassen-Finanzgruppe

James Graham (1806-1869)
30. *Veduta del Foro romano a Pompei*, 1860-1862.
Albumina da negativo su carta (1860),
212 x 287 (335 x 517), Firenze, RMFA

Giacinto Gigante
31. *Veduta del Foro con lo sfondo del Vesuvio*, 1862.
Cromolitografia di K. Grob, Richter & C., vol. II (*Descrizione generale*), tav. XVI, in Felice e Fausto Niccolini, *Le case ed i monumenti di Pompei*, Napoli, Biblioteca del Museo Archeologico Nazionale

James Graham
32. *Pompei, Casa di Marco Olconio*, 1862. Albumina
da negativo su carta, 212 x 285 (335 x 517), Firenze, RMFA
33. *Villa di Diomede a Pompei*, 1860-1862. Albumina
da negativo su carta (1859-1860), 147 x 207, (335 x 517),
Firenze, RMFA
34. *Pompei, Strada delle Tombe. Monumento funebre di Naevoleia Tyche*, 1860-1862. Albumina da negativo su carta
(1859-1860), 220 x 280 (335 x 517), Firenze, RMFA

Giorgio Sommer (1834-1914)
35. *"Baccante"* (catalogo Sommer n. 2396), anni
sessanta. Albumina colorata all'anilina, 90 x 60 (105 x 64,
carte de visite), Roma, Collezione privata
36. *"Baccante"* (catalogo Sommer n. 2390), anni
sessanta. Albumina colorata all'anilina, 90 x 60 (105 x 64,
carte de visite), Roma, Collezione privata
37. Nicola La Volpe, *"Due danzatrici - Antico dipinto
di Pompei"*, Lasinio fil. sculp., 1831, vol. VII, tav. XXXVIII
di *Real Museo Borbonico*, Napoli, Biblioteca del Museo
Archeologico Nazionale

Giorgio Sommer
38. *"Baccante"* (catalogo Sommer n. 2391), anni sessanta.
Albumina colorata all'anilina, 90 x 60 (105 x 64, *carte de
visite*), Roma, Collezione privata
39. *"Baccante"* (catalogo Sommer n. 2376), anni sessanta.
Albumina colorata all'anilina, 90 x 60 (105 x 64, *carte de
visite*), Roma, Collezione privata
40. Nicola La Volpe, *"Due danzatrici - Antico dipinto
di Pompei"*, Lasinio fil. sculp., 1831, vol. VII, tav. XXXV
di *Real Museo Borbonico*, Napoli, Biblioteca del Museo
archeologico nazionale

Giorgio Sommer
41. *"Baccante"* (catalogo Sommer n. 2392), anni sessanta.
Albumina colorata all'anilina, 90 x 60 (105 x 64, *carte de
visite*), Roma, Collezione privata
42. *"Baccante"* (catalogo Sommer n. 2392), anni sessanta.
Albumina colorata all'anilina (variante cromatica della
precedente), 90 x 60 (105 x 64, *carte de visite*), Roma,
Collezione privata
43. Nicola La Volpe *"Danzatrici - Antico dipinto di
Pompei"*, Lasinio fil. sculp., 1831, vol. VII, tav. XXXIII di
Real Museo Borbonico, Napoli, Biblioteca del Museo
Archeologico Nazionale

Giorgio Sommer
44. *"Freschi di Pompei. Ercole ubriaco"*, post 1873-1886.
Albumina, 181 x 246 (312 x 381), Firenze, Collezione Emilio
Sartori
45. *"Bacco ed Fauno (Fresco di Pompei)"*, ante 1873.
Albumina, 241 x 183 (379 x 106), Firenze, Collezione Emilio
Sartori
46. *Veduta animata della Casa detta del Poeta*, 1860,
Albumina, 174 X 237 (333 X 455), Firenze, Collezione Emilio
Sartori
47. *Pompei. Veduta animata della Strada delle Tombe
dalla Porta di Ercolano, all'altezza del Sedile e della
Tomba di Mamia*, anni ottanta. Albumina, 275 x 375 (347
x 433), Monaco di Baviera, Neue Pinakothek, Collezione

Siegert, acquisto del Pinakotheks-Verein con il supporto
dell'Ernst von Siemens Kunststiftung e della Sparkassen-
Finanzgruppe
48. *"Casa di Diomede. Pompei"*, 1860. Albumina,
182 x 237 (328 x 433), Monaco di Baviera. Neue Pinakothek,
Collezione Siegert, acquisto del Pinakotheks-Verein con
il supporto dell'Ernst von Siemens Kunststiftung e della
Sparkassen-Finanzgruppe
49. *Casa del Gallo*, anni ottanta. Albumina, 279 x 377
(347 x 433), Monaco di Baviera, Neue Pinakothek,
Collezione Siegert, acquisto del Pinakotheks-Verein con
il supporto dell'Ernst von Siemens Kunststiftung e della
Sparkassen-Finanzgruppe
50. *Casa di Marco Lucrezio*, anni ottanta. Albumina,
279 x 378 (347 x 433), Monaco di Baviera, Neue Pinakothek,
Collezione Siegert, acquisto del Pinakotheks-Verein con
il supporto dell'Ernst von Siemens Kunststiftung e della
Sparkassen-Finanzgruppe
51. *Veduta animata della casa di Marco Olconio*, anni
ottanta. Albumina, 279 x 369 (347 x 433), Monaco
di Baviera, Neue Pinakothek, Collezione Siegert, acquisto
del Pinakotheks-Verein con il supporto dell'Ernst von
Siemens Kunststiftung e della Sparkassen-Finanzgruppe
52. *Édouard Alexandre Sain, Fouilles a Pompei*
(riproduzione fotografica del dipinto del 1865), 1870-1875
circa. Albumina colorata all'anilina, 195 x 253, Napoli,
Collezione Fabio Speranza

Giacinto Gigante
53. *Veduta animata del Foro*, 1857. Cromolitografia
di K. Grob, Richter & C., vol. II (*Descrizione generale*),
tav. XX, in Felice e Fausto Niccolini, *Le case ed i
monumenti di Pompei*, Napoli, Biblioteca del Museo
Archeologico Nazionale

Alphonse Bernoud (1820-1889)
54. *Panorama preso dal Teatro con lo sfondo del Vesuvio*,
ante 1873. Albumina, 202 x 280 (415 x 533), Firenze, RMFA
55. *Veduta del Foro e della Basilica*, 1865 circa. Albumina,
202 x 272 (415 x 533), Firenze, RMFA
56. *Casa di Sallustio*, 1860-1865. Albumina, 206 x 273
(415 x 533), Firenze, RMFA
57. *Forno e Mulino di M. Popidius Priscus*, post 1873
(stampa di Achille Mauri). Albumina, 207 x 260 (266 x 337),
Firenze, RMFA
58. *Strada delle Tombe*, 1875-1888 (stampa di Achille
Mauri). Albumina, 206 x 256 (297 x 385), Firenze, RMFA

Giacinto Gigante
59. *Strada dei Sepolcri*, 1862. Cromolitografia di K. Grob,
Richter & C., vol. II (*Descrizione generale*), tav. XXVIIII,
in Felice e Fausto Niccolini, *Le case ed i monumenti
di Pompei*, Napoli, Biblioteca del Museo Archeologico
Nazionale

Robert Rive (? -1868)
60. *"Pompei"*, frontespizio litografico con la firma
dell'autore, animali, elementi architettonici e decorativi
dall'Antico, ante 1868. Albumina, Roma, ICCD, Collezione
Becchetti
61. *Veduta della Strada delle Tombe con il monumento
di Naevoleia Tyche*, 1875 circa (stampa di Julius Otto Rive).
Albumina, 175 x 256 (243 x 324), Firenze, RMFA
62. *Veduta paesaggistica della Porta di Nola*, 1870 circa
(stampa di Julius Otto Rive). Albumina, 185 x 252
(244 x 332), Firenze, RMFA, Collezione Palazzoli

Michele Amodio (1817/20-1913)
63. *"Pompei"*. Frontespizio litografico di Michele Amodio
con figure mitologiche e rovine pompeiane, anni settanta.
Albumina, 186 x 240 (290 x 375), Firenze, RMFA
64. *Tempio di Iside*, 1873. Albumina, 205 x 250
(290 x 375), Firenze, RMFA

65. "*Pompei, Rue de* [sic] *Tombeaux*", 1870 circa. Albumina, 205 x 255 (297 x 385), Firenze, RMFA
66. "*Pompei, jeune femme escavations 1878*", 1878. Albumina, 190 x 253, Firenze, RMFA
67. "*Pompei, impronta umana (scavi 1883)*", 1883. Albumina, 207 x 254 (306 x 403), Napoli, Archivio Fotografico della Soprintendenza per i Beni Archeologici di Napoli

Fotografo non identificato (attivo a Pompei negli anni 1869-1877 per John Henry Parker)
68. "*Out of Rome, Pompeii, amphorae against a wall of a court-yard of the House of Faun*", 1869-1877. Albumina, 170 x 230 (320 x 250), Roma, BSR, Archivio fotografico e storico. L'esemplare è contrassegnato con il n. 2174, lo stesso con cui compare nell'opera di Parker, *Historical photographs: a catalogue of three thousand three hundred photographs of Antiquities in Rome and Italy*, London 1879.
69. "*Out of Rome, Pompeii, interior of the Temple of Mercury, With the amphorae*", 1869-1877. Albumina, 185 x 235 (320 x 250), Roma, BSR, Archivio fotografico e storico. L'esemplare è contrassegnato con il n. 2202, lo stesso con cui compare nell'opera di Parker, *Historical photographs: a catalogue of three thousand three hundred photographs of Antiquities in Rome and Italy*, London 1879.
70. "*Out of Rome, Pompeii, great hall of public baths*", 1869-1877. Albumina, 170 x 230 (320 x 250), Roma, BSR, Archivio fotografico e storico. L'esemplare è contrassegnato con il n. 2207, lo stesso con cui compare nell'opera di Parker, *Historical photographs: a catalogue of three thousand three hundred photographs of Antiquities in Rome and Italy*, London 1879.
71. "*Out of Rome, Pompeii, House of Meleagro, in the via di Mercurio, atrium, cavedium* (with colonnades)", 1869-1877. Albumina, 170 x 230 (320 x 250), Roma, BSR, Archivio fotografico e storico. L'esemplare è contrassegnato con il n. 2166, lo stesso con cui compare nell'opera di Parker, *Historical photographs: a catalogue of three thousand three hundred photographs of Antiquities in Rome and Italy*, London 1879.

Fotografo non identificato
72. *Casa di Sallustio con disegnatore dal vero in primo piano (Sir Lawrence Alma-Tadema?)*, anni ottanta da negativo del 1862-1863. Albumina, 255 x 190, Napoli, Collezione privata

Giacinto Gigante
73. *Veduta del peristilio della Casa di Arianna o dei Capitelli colorati*, 1854. Litografia di G. Frauenfelder, Richter & C.; vol. 1, Tav. I, in Felice e Fausto Niccolini, *Le case ed i monumenti di Pompei*, Napoli, Biblioteca del Museo Archeologico Nazionale

Achille Léon Quinet (1831-1907)
74. *Veduta del foro sullo sfondo del Vesuvio*, 1865-1870. Albumina, 189 x 248 (320 x 440), Parigi, BnF, Département des Estampes et de la photographie

Giuseppe Colombo (documentato come attivo a Pompei nel 1885)
75. *Veduta del Foro Triangolare*, 1885. Albumina, 198 x 245 (271 x 358), Napoli, Archivio Fotografico della Soprintendenza per i Beni Archeologici di Napoli

Michele Busco (documentato come attivo a Pompei nel 1885)
76. "*Pompei. Scheletro nelle vie dell'abbondanza*", 1885. Albumina, 200 x 232 (287 x 347), Napoli, Archivio Fotografico della Soprintendenza per i Beni Archeologici di Napoli
77. "*Pompei. Casa del Balcone Pensile*", 1885. Albumina, 201 x 252 (284 x 340), Napoli, Archivio fotografico della Soprintendenza per i Beni Archeologici di Napoli
78. *Pompei. Peristilio della Casa di Meleagro*, 1885.

Albumina, 202 x 251 (243 x 348), Napoli, Archivio Fotografico della Soprintendenza per i Beni Archeologici di Napoli
79. "*Tempio di Mercurio*", 1885. Albumina, 205 x 243 (227 x 302), Roma, ICCD, Fondo MPI

Fotografia Artistica (Pasquale Esposito e F° Achille), ditta attiva a Napoli fra il 1870 e il 1903 circa
80. "*Pompei - Ultimi scavi*", 1880-1890. Albumina colorata, 250 x 200, Napoli, collezione privata
81. *Trasporto su binari*, 1880-1890. Albumina, 200 x 250, Napoli, Collezione privata

Giorgio Sommer
82. *Cantiere con operai*, 1896. Albumina, 202 x 253 (242 x 327), V tavola dell'Album "POMPEI/CASA DEI VETTII" contenente sessantaquattro immagini, Napoli, Archivio Fotografico della Soprintendenza per i Beni Archeologici di Napoli

Gustave Eugène Chauffourier (1845-1919)
83. *Pompei. Bagni di Stabia*. Stampa attuale da negativo (1890 circa) su lastra alla gelatina bromuro d'argento, 21 x 27, Firenze, RMFA
84. *Pompei. Panorama*, 1890 circa. Albumina, 198 x 267, Firenze, RMFA

Giorgio Vasari? (1846-1901)
85. "*Dintorni di Napoli - Pompei - Panorama preso dal teatro tragico*", data incerta. Negativo al collodio su lastra, 21 x 27, Roma, ICG, Collezioni fotografiche
86. "*Dintorni di Napoli - Pompei - Panorama preso dal teatro tragico*", data incerta. Stampa attuale dal negativo di cui sopra, Roma, ICG, Collezioni fotografiche
87. "*Dintorni di Napoli - Pompei - Porzione di Grondaie nella strada di Mercurio*", data incerta. Stampa attuale da negativo al collodio su lastra, 21 x 27, Roma, ICG, Collezioni fotografiche
88. "*Dintorni di Napoli - Pompei - Teatro Greco*", data incerta. Stampa attuale da negativo al collodio su lastra, 21 x 27, Roma, ICG, Collezioni fotografiche
89. "*Dintorni di Napoli - Pompei - Baccante - Affresco*", data incerta. Stampa attuale da negativo al collodio su lastra, 21 x 27, Roma, ICG, Collezioni fotografiche
90. "*Dintorni di Napoli - Pompei - Ulisse ferito*", data incerta. Stampa attuale da negativo al collodio su lastra, 21 x 27, Roma, ICG, Collezioni fotografiche

Fratelli Alinari
Romualdo Alinari, 1830-1890
91. "*Strada Stabiana. Gronde in terra cotta di forme e decorazioni diverse*", 1895-1899. Gelatina bromuro d'argento, 198 x 256, Roma, ICCD, Fondo MPI
92. *Strada dei Sepolcri con il sedile della tomba di Mamia*, 1895-1899. Gelatina bromuro, 191 x 247, Roma, ICCD, Fondo MPI

Edizioni Brogi
Giacomo (1822-1881) e Carlo (1850-1925) Brogi
93. "*Fullonica o stabilimento dove purgavasi la lana, la seta ecc.*", 1880-1882. Albumina, 184 x 250, Roma, ICCD, Fondo MPI
94. *Interno delle Terme Stabiane*, 1880/82-1899. Albumina, 190 x 248 (220 x 304), Roma, ICCD, Fondo MPI
95. "*Domus Vettiorum - Arianna e Bacco barbato; erma bicipite in marmo*", 1896. Albumina, 250 x 84, Roma, ICCD, Fondo MPI
96. *Veduta esterna dell'anfiteatro*, 1880/82-1890. Albumina, 197 x 250, Firenze, RMFA

Paul Jeuffrain
97. *Interno dell'Anfiteatro*, 1852. Negativo su carta cerata, 193 x 252, Parigi, SFP

S. De Stefani
98. *Esterno e interno dell'Anfiteatro*, 1896. Cromolitografia delle Off. Lit. Casa Edit. Fausto Niccolini, Napoli, vol. 4, tav. II, in Felice

e Fausto Niccolini, *Le case ed i monumenti di Pompei*, Napoli, Biblioteca del Museo Archeologico Nazionale

Peter Paul Mackey (1851-1935)
99. *"Forums - Italy - Pompeii (Extinct city)"*, 1890-1900. Gelatina ai sali d'argento, 170 x 230, Roma, BSR
100. *"Gates - Italy - Pompeii (Extinct city)"*, 1890-1900. Gelatina ai sali d'argento, 130 x 180, Roma, BSR

Ditta Anderson
(Domenico Anderson, 1854-1938)
101. *"Pompei. Casa detta del Torello di bronzo - Il Peristilio"*, anni venti del XX secolo. Albumina, 200 x 260 (220 x 302), Roma, ICCD, Fondo MPI
102. *Veduta della Caserma dei Gladiatori*, Stampa attuale da negativo (1924 circa) su lastra alla gelatina bromuro, 21 x 27, Firenze, RMFA

Guido Rey (1860-1935)
103. *Scena pompeiana*, 1895. Platinotipia, 113 x 220 (155 x 251)
104. *Scena pompeiana*, 1895. Platinotipia, 113 x 219 (155 x 247)
105. *Amor materno*, 1898. Platinotipia, 223 x 138 (226 x 142)
106. *Siesta nel meriggio pompeiano*, 1898. Platinotipia, 143 x 218 (147 x 223)
107. *Venditrice di frutta fresca a Pompei*, 1898. Platinotipia, 148 x 220 (150 x 222)
108. *Omaggio a Dioniso*, 1898. Platinotipia, 199 x 108 (202 x 111)
109. *Suonatrice di aulos*, 1898. Platinotipia, 211 x 130 (215 x 134)
110. *Egloga*, 1898. Platinotipia, 210 x 153 (213 x 155)
111. *Il piccione*, 1896. Platinotipia, 133 x 143 (135 x 145)
112. *Colloquio*, 1898. Platinotipia, 215 x 133 (219 x 133) [v. p. 30]
Dieci stampe della Fondazione Sella, Collezione Sircana, Biella

Guglielmo Plüschow (1852-1930)
113. *Veduta animata del Sedile di Mamia*, 1890 circa. Albumina, 118 x 185 (250 x 400), Prato, AFT, Fondo Coppedé, album 7 (*Varietà*), n. 348
114. *Un giovine e due fanciulli presso il lararo della Casa di M. Epidius Sabinus*, 1885-1890. Albumina, 164 x 116 (250 x 400), Prato, AFT, Fondo Coppedé, album 7 (*Varietà*), n. 355
115. *Edoardo e un bambino ignudo presso la Casa del Fornaio*, 1896-1898. Albumina, 192 x 117, Milano, Collezione privata (n. 587)
116. *Quattro bambini, variamente atteggiati, mettono in scena il vivere quotidiano di Pompei*, 1890 circa. Albumina, 119 x 169, Strasburgo, Université de Strasbourg, Institut d'archéologie classique, I.T.IV.A.c.38
117. *Giovine vestito all'antica, posa nella Casa dei Vettii*, 1896-1898. Albumina, 220 x 160, Milano, Collezione privata (serie 8852)
118. *Giovine vestito all'antica posa nel peristilio della Casa dei Vettii*, 1896-1898. Albumina, 114 x 186, Milano, Collezione privata (serie 8858)

D. Capri
119. *Saggi di restauro. Una casa della Reg. VIII, isola 2*, 1896. Cromolitografia, in Felice e Fausto Niccolini, *Le case ed i monumenti di Pompei*, vol. 4, tav. V, Napoli, Biblioteca del Museo Archeologico Nazionale

Immagini del Novecento

Florence Henri (1893-1982)
120. *"Rome, Forum"*, 1933-1934. Fotomontaggio, stampa ai sali d'argento, 280 x 200, Parigi, BnF, F.A17389
121. *"Nu Composition"*, 1930-1935. Stampa ai sali d'argento, 292 x 220, Collezione privata, *courtesy* Archives Florence Henri, Genova

Mimmo Jodice (1934-)
122. *"Atleti dalla Villa dei Papiri"*, Museo Archeologico Nazionale di Napoli, 1986. Stampa analogica al bromuro d'argento, 500 x 500, Napoli, proprietà dell'autore

Sergio Riccio (1943-)
123. *"Pompei leopardiana"*, 1999. Stampa analogica ai sali d'argento, 240 x 360 (304 x 404), Napoli, Collezione privata
124. *"Opus"*, 1999. Stampa analogica ai sali d'argento, 240 x 360 (304 x 404), Napoli, Collezione privata

Cristina Omenetto (1942-)
125. *"Pompei # 1"*. Calchi umani all'Orto dei Fuggiaschi, 1999. Stampa cromogenica, 520 x 1120, Milano, Collezione privata
126. *"Pompei # 11"*. Davanti ai calchi, 1999. Stampa cromogenica, 520 x1200, Milano, proprietà dell'autrice
127. *"Pompei # 4"*. L'antico Antiquarium, 1999. Stampa cromogenica, 500 x 1070, proprietà dell'autrice, Milano
128. *"Pompei # 5"*. Peristilio della Casa dei Vettii, 1999. Stampa cromogenica, 520 x 1000, Milano, Collezione privata

Luca Campigotto (1962-)
129. *"Roma. Un impero alle radici dell'Europa"*, Tempio di Apollo a Pompei. Stampa digitale ai pigmenti, 1100 x 1460, Milano, Archivio dell'autore
130. *"Roma. Un impero alle radici dell'Europa"*, Casa dei Ceii a Pompei. Stampa digitale ai pigmenti, 1100 x 1460, Milano, Archivio dell'autore

Ringraziamenti per la ricerca delle immagini
Per AFT, Oriana Goti; per le RMFA, Maria Possenti, Francesca Bongioanni, Angela Barbetti; per la Neue Pinakothek di Monaco di Baviera, Herbert Rott e Dietmar Siegert; per alcune immagini di Sommer, Emilio Sartori; per la BSR, Alessandra Giovenco; per le loro preziose indicazioni, Jean-Philippe Garric, Silvia Paoli e Marco Antonetto.

Ringraziamenti

Oltre ai casi particolari, segnalati nelle note, desidero
ringraziare Maria Francesca Bonetti, Monica Maffioli
e Andrea Milanese che in vario, ma determinante modo,
hanno, generosamente, sostenuto il mio lavoro.
La mia gratitudine va inoltre ai collezionisti
e a tutte le istituzioni museali che hanno concesso
la riproduzione delle immagini che illustrano il volume,
senza la cui collaborazione questo libro non esisterebbe.
M.M.

Vorrei esprimere la mia profonda gratitudine
a Luigi Gallo, Grete Stefani e Anna Civale.
M.O.

Referenze iconografiche

© ARCHIVIO DELL'ARTE - Luciano Pedicini, Napoli, p. 46
© Archivio Fotografico Toscano - Comune di Prato, nn. 113, 114
Archivi Alinari / Archivio Anderson, Firenze, n. 102 /archivio Chauffourier, Firenze, nn. 83, 84
Bibliothèque nationale de France, Parigi, pp. 36, 37, nn. 74, 120
BSR Photographic Archive, Roma, nn. 68, 69, 70, 71, 99, 100
Collection Société française de photographie, Parigi, nn. 25, 26, 27, 97
Collezione Ruggero Pini, Mandello del Lario, n. 13
Collezione Emilio Sartori, Firenze, nn. 44, 45, 46
Florence Henri © Galleria Martini & Ronchetti, Genova, nn. 120, 121
© 2015 Fondazione Sella, Biella, p. 30, nn. 103, 104, 105, 106, 107, 108, 109, 110, 111, 112
© Mimmo Jodice, Napoli, n. 122
Mondadori Portfolio // Electa (Foto Studio Saporetti) p. 39, Leemage, p. 34
National Media Museum / Science & Society Picture Library, Londra, nn. 1, 2, 3, 4, 5, 6, 7, 8
Neue Pinakothek, Monaco di Baviera, p. 48, nn. 28, 29, 47, 48, 49, 50, 51
Cristina Omenetto, Milano, nn. 125, 126, 127, 128
Photo © Musée d'Orsay, Dist. RMN-Grand Palais / Patrice Schmidt, nn. 14, 15, 16, 17, 18, 19, 20, 21, 22
Photo © RMN-Grand Palais (Musée d'Orsay) / Hervé Lewandowski, p. 33 / n. 23
Raccolte Museali Fratelli Alinari (RMFA), Firenze, nn. 30, 32, 33, 34, 54, 55, 56, 57, 58, 63, 64, 65/ collezione Blatt, Firenze, n. 66/ collezione Malandrini, Firenze, n. 96/ collezione Palazzoli, Firenze, nn. 61, 62
Sergio Riccio, Napoli, nn. 123, 124
Hans P. Kraus, New York, nn. 9, 10
Fabio Speranza, Napoli, n. 52
The Frances Lehman Loeb Art Center, New York, p. 47 in basso
The Getty Research Institute, Los Angeles, n. 12
Université de Strasbourg, Strasburgo, n. 116

Su concessione del Ministero dei beni e delle attività culturali e del turismo:
Istituto Centrale per il Catalogo e la Documentazione, Roma, nn. 60, 79, 91, 92, 93, 94, 95, 101
Istituto Centrale per la Grafica, Roma, pp. 40, 41, nn. 85, 86, 87, 88, 89, 90
Soprintendenza Archeologia della Campania, Archivio fotografico, Napoli, nn. 67, 75, 76, 77, 78, 82 / Biblioteca del Museo Archeologico Nazionale, Napoli, pp. 35, 44, 45, 47 in alto, nn. 11, 24, 31, 37, 40, 43, 53, 59, 73, 98, 119
Soprintendenza Speciale per Pompei, Ercolano, Stabia, Archivio fotografico, pp. 6, 9, 10, 11, 12, 13, 14, 16, 17, 18, 19, 20, 21, 22, 23, 24, 25, 26, 27, 28, 29

Si ringrazia la casa editrice FMR di Bologna per la gentile concessione delle immagini di Luca Campigotto, nn. 129, 130

L'editore è a disposizione degli aventi diritto per quanto riguarda eventuali fonti iconografiche non identificate.

In copertina
Giorgio Sommer, *Baccante*

© S. Riccio by SIAE 2015

© 2015 Ministero dei Beni e delle Attività Culturali e del Turismo Soprintendenza Speciale per Pompei, Ercolano, Stabia
© 2015 Mondadori Electa, S.p.A., Milano

www.electaweb.com

Questo volume è stato stampato per conto di Mondadori Electa S.p.A. presso lo stabilimento ELCOGRAF S.p.A., via Mondadori, 15 – Verona nell'anno 2015

Electaphoto

Editor di collana
Nunzio Giustozzi

Progetto grafico e copertina
Artemio Croatto
Stefano Corradetti
/ Designwork

Ricerca iconografica
Simona Pirovano

**Il volume è pubblicato in occasione
della mostra** *Pompei e l'Europa 1748-1943*
**(Napoli, Museo Archeologico Nazionale /
Scavi di Pompei, Anfiteatro,
27 maggio – 2 novembre 2015)
promossa dalla Soprintendenza Speciale
per Pompei, Ercolano e Stabia
e dalla Direzione Generale
del Grande Progetto Pompei,
in collaborazione con il Museo
Archeologico Nazionale di Napoli,
e organizzata da Electa.**